とっておきの聖地巡礼
世界遺産
「熊野古道」
新装改訂版
伊勢・熊野巡礼部 著
JN255186
歩いて楽しむ
南紀の旅!!
Mates Publishing

とっておきの聖地巡礼

世界遺産「熊野古道」新装改訂版
歩いて楽しむ南紀の旅

※本書は 2018 年発行の『とっておきの聖地巡礼 世界遺産「熊野古道」歩いて楽しむ南紀の旅 改訂版』を元に情報更新と一部掲載施設の入れ替えを行い、装丁を変更して新たに発行したものです。

目次

中辺路を歩く

伊勢路を歩く

大辺路を歩く

紀伊路を歩く

小辺路を歩く

大峯奥駈道を歩く

【コラム】

【熊野古道を知る】

はじめに

世界文化遺産「紀伊山地の霊場と参詣道」の対象は、熊野信仰の中心地である熊野三山、修験道の拠点である吉野・大峯、真言密教の根本道場の高野山の三霊場です。そして、熊野三山や霊場を結ぶ、参詣道である熊野古道が世界遺産を構成する要素となりました。

本書では、「紀伊山地の霊場と参詣道」のなかから、熊野古道 22 コースを厳選して紹介、さらに、熊野本宮大社、熊野速玉大社、熊野那智大社・青岸渡寺の熊野三山、吉野・大峯の金峯山寺、高野山の金剛峯寺、熊野古道伊勢路の伊勢神宮、紀伊路の紀三井寺などの社寺と、各コースの周辺にある温泉や宿、食事どころなどを掲載しています。

本書で取り上げました熊野古道歩きのコースは、都から上皇や貴族が熊野を目指した「中辺路」から 7 コース、伊勢神宮に詣でてから熊野を目指した「伊勢路」から4コース、紀伊半島の西南海岸を歩く「大辺地」から 5 コース、大阪から紀伊田辺までの「紀伊路」から 3 コース、高野山から熊野を目指す「小辺路」から 3 コース（修験道の道として大峯奥駈道 1 コース）を厳選しています。

熊野古道は、標高 1000 メートル以上の難路を歩く道もありますが、本書では登山経験がない普通の人たちが歩ける道を中心に取り上げています。しかし、なかには 6 時間を要するコースや距離が短くても峠越えや石畳、階段の上り下りがきついコースもありますから、自分の体力に合ったコースを選択して下さい。

どのコースも公共交通機関の利用を前提にし、駅やバス停を起点、終点としています。本書の特色として、各参詣路と各コースの起点、終点へのアクセス情報をできる限り詳しく紹介してあります。各参詣路の「扉ページ」と各コースの「アクセス」を参照にして、熊野古道歩きのプランをたてて下さい。

最後に本書にご協力をいただいた、社寺および観光協会、交通機関などの皆様にお礼を申し上げます。皆様の熊野古道に対する真摯な気持ちと愛情なくしては本書は成立しませんでした。本書を縁に多くの人が熊野古道に訪れることを皆様とともに祈っています。

本書の使い方

本書では、世界遺産の道を中心に全２３コースを紹介しています。
本格登山となる上級者向きのコースは除外していますが、ある程度の装備は必要です。
また各ルート別に分けて順に紹介しています。
主な社寺については別のページを設けて紹介しています。
特に初心者の方は、歩きやすそうなコースから選択して下さい。

Kumano Kodo
Pilgrimage Routes

大日越えの湯めぐり
熊野本宮大社～川湯温泉

熊野本宮大社から**大日越え**をして、**湯の峰温泉**、**渡瀬温泉**、**川湯温泉**と、歩行行程は短いですが、温泉めぐりが楽しめるコースです。

熊野本宮大社の参道から本宮大社前のバス停へ出て国道を横断します。鳥居をくぐった先が**大斎原**（おおゆのはら）、**熊野本宮大社**の旧社地です。大洪水により、この地にあった大社が流されてしまい現在地に遷座しました。あたり一帯には神秘的な雰囲気が漂います。

ふたたび国道へ出て岩田橋を渡り、右手を鋭角に入ると**大日越登り口**の道標があります。石段を登ってさらに急な登り坂が続きます。１番標識を過ぎて少し行くと、**月見ヶ丘神社**です。さらに大日山の中腹の杉とヒノキの茂る道を進むと、**鼻欠地蔵**に着きます。鼻も顔もよくわからないお地蔵様です。

ここから下り坂となり、３番標識のすぐ先右手が**湯峯王子**です。橋を渡り左手へ少し行くと、90 度の温泉が湧き出す共同炊事場の湯筒があります。すぐ南が**湯の峰温泉**のバス停です。バス道を南に進み、左手の道に入って、四村川に架かる**熊野瀬橋**を渡り、バス道に戻り、渡瀬温泉の日本最大の露天風呂の向かいから再度山道に入り、温泉隧道の真上の道を下りてくると終点、**川湯温泉**、公衆浴場前に到着です。

①針葉樹林の中を歩く**大日越**の道は、急坂の連続ながら、距離はさほど長くなく、下りれば温泉なので気も楽です。

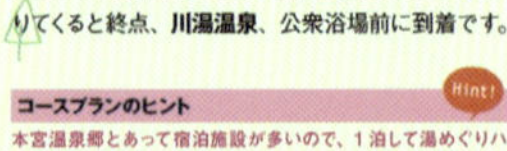
コースプランのヒント
本宮温泉郷とあって宿泊施設が多いので、１泊して湯めぐりハイクも楽しめます。川湯や湯の峰の公衆浴場は、朝から開いていますのでゆったり湯めぐりが楽しめます。しかし、湯上りすぐの山越えは身体に悪いので休み休み回りましょう。

②東光寺の裏の丘にある**湯峯王子**は、平安時代に記録はなく、鎌倉時代にできた王子と考えられています。

【コースプラン】
A 熊野本宮大社→【10 分・0.8km】→ B 大斎原→【5 分・0.4km】→ C 大日越登り口→【20 分・0.7km】→ D 月見ヶ丘神社→【10 分・0.4km】→ E 鼻欠地蔵→【20 分·0.9km】→ F 湯峯王子→【5 分·0.2km】→ G 湯の峰温泉→【20 分・1.5km】→ H 熊野瀬橋→【20 分・1.4km】→ I 川湯温泉

【歩行時間】 1時間50分
【歩行距離】 6.4km

28

本文

太字の部分は、地図上やコースプランに示すポイントです。コースの要所を説明しています。しかし、「登り坂が続く」とあっても、ほとんど登りであって、若干の下りがある場合も含まれます。「○○が見えます」とあっても、天候や雑草などの成長で見えなくなってしまうこともありますので、悪しからずご了承下さい。

コースプランのヒント

時間のない方や脚力の心配な方、もっといろいろ見たい方などの為の情報を掲載しています。

コースプラン

徒歩の所要時間は、休憩や参拝の時間は含まれていません。短いコースでも１時間くらいは余裕をみておくと安心です。個人差や体調もありますが、平地で1分間に８０メートルを基準にし、坂道や悪路では長くなっています。
プランの赤字アルファベットは、マップの地点に対応しています。また逆向きのコースを選択する場合は、所要時間が異なる場合があります。巻末に行事カレンダーを掲載しましたが、行事によって通行規制が行われ、所要時間が大幅に伸びてしまうことがあります。下り坂は早いと思い勝ちですが、急な下りの場合、かなりの時間がかかります。混雑時は狭い道での離合に時間がかかったり、休憩所のトイレの行列もありますから、十分なゆとりをもって下さい。特に終点からバスに乗る場合、遅れた場合の代替策（歩く、タクシーを呼ぶなど）を用意しておくと安心です。

時期により、また感染症感染拡大の状況によっては、掲載している内容、料金、寺社の拝観可能な時間や施設の営業時間、休業日などが変更になる場合がありますので、ご利用の際は事前にご確認のうえお出かけください。

③日本最古の温泉、**湯の峰温泉街**には、小栗判官が入って蘇生したと伝えられるつぼ湯があります。

④川原に湧き出す川湯温泉へは、**湯の峰温泉**からのバスが2時間に1本です。湯あたりしたらバスで移動しましょう。

アクセス

① 熊野本宮大社へのアクセス（本宮大社前バス停）

紀伊田辺駅から龍神バス［1時間55分／2000円］
白浜駅から明光バス熊野古道特急［1時間15分／1900円］
白浜空港から明光バス熊野古道特急［1時間25分／1950円］
白浜バスセンターから明光バス熊野古道特急［1時間35分／2000円］
新宮駅から明光バス熊野古道特急［1時間15分／1500円］
新宮駅から熊野交通バス・奈良交通バス［1時間20分／1500円］
近鉄大和八木駅から奈良交通バス［4時間10分／3950円］
※紀伊田辺駅から熊野古道特急以外の明光バスは栗栖川まで。一部の便は栗栖川発の龍神バスに連絡しています。

② 川湯温泉へのアクセス

紀伊田辺駅から龍神バス［1時間45分／1850円］
新宮駅から熊野交通バス・奈良交通バス［1時間／1500円］
近鉄大和八木駅から奈良交通バス［5時間30分／4100円］

コラム

鼻欠地蔵の伝説

左甚五郎の弟子が毎日仕事場へ弁当を届けていました。弟子は地蔵に毎日一つを供えていましが、甚五郎は一つ足らない事に気づいて、弟子の鼻を削ぎました。鼻が欠けた地蔵を見て、甚五郎は全てを悟り反省しました。

29

地図

地図はなるべく上が北になるように配置していますが、都合により異なっていますので、矢印とNの記号を入れて方位を示しています。近年の豪雨水害により通行止め区間がありますが、天候により解除や、規制の追加がありますので、なるべく地元観光協会などにお問合せのうえお出かけ下さい。

コラム

伝説や古道付近の観光施設、行事などを紹介しています。

アクセス

鉄道の所要時間は、日中の時間を標準としています、早朝や夜間は異なる場合があります。特に普通列車は、行き違いや特急列車の退避などで大幅に時間がかかる場合があります。本数の少ないものも掲載しています。掲載の特急列車は、南海、近鉄は全車指定席で事前に指定券が必要です。JRの特急は自由席がありますが、表示の料金は通常期の指定席の料金です。高速バスは原則指定ですので、事前に乗車券を購入していかないと乗車できない場合があります。コースまでのアクセスやバスや列車の運行本数は扉のページをご覧下さい。（本誌のデータは2022年8月のものです）

熊野古道全図

古道歩きといっても、ほとんどの道が舗装道路の場合もあれば、石畳、階段、地道の悪路、はたまた砂浜や海岸の岩場と様々です。本書では難易度順に、歩きやすい方から、一般向き、健脚向き、本格登山コースとして説明していますので、歩く際の目安にしていただきたいと思います。

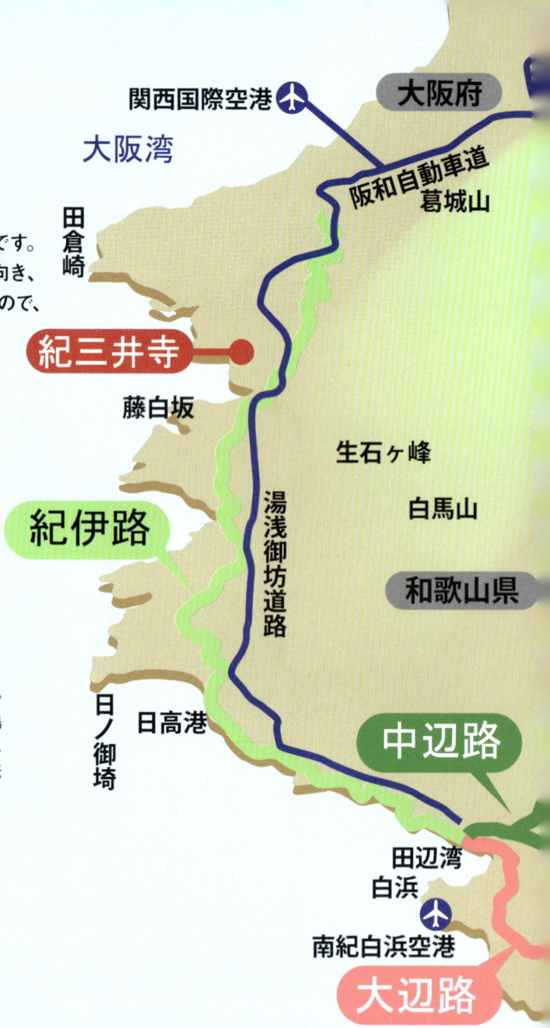

紀伊路

(76～89ページ)

窪津王子(大阪市)～出石王子(田辺市)
約120キロ
一般向きコース

本来は京都が起点ですが、京街道を利用するより伏見港から船を利用する場合がほとんどだったため、大阪の船着場近くの窪津王子を起点が一般的です。世界遺産に登録されている区間はありませんが、藤白坂など、当時の面影を伝える区間を紹介しています。

中辺路

(18～41ページ)

出石王子(田辺市)～熊野速玉大社(新宮市)
約80キロ
一般・健脚向きコース

最も人気のコースで、整備もほぼ完璧になされています。大雲取越えを除けば一般向きのコースとなっていて、初心者も安心して歩けます。本書では紹介しませんでしたが、湯川王子から湯の峰温泉の分岐道である赤木越えの約8キロのルートもあります。

小辺路

(90～105ページ)

高野山(高野町)～熊野本宮大社(田辺市)
約70キロ
健脚・本格登山コース

距離は短いですが、最高峰伯母子岳1344メートルを越える本格登山コースを含む険しいコースです。九度山から高野山への約20キロの区間の町石道は、2回に分ければなんとか一般向きコースといえますが、1日で歩くなら健脚向きコースといえます。

大辺路

(60～75ページ)

出石王子(田辺市)～浜の宮王子(紀伊勝浦町)
約100キロ
一般向きコース

太平洋を望める海辺のコースですが、厳しい山越えはなく、全般に歩きやすくなっています。ただ国道に吸収された区間も多くありますから、車に十分注意して下さい。鉄道や路線バスなど、交通機関はやや不便ですから、時刻表で十分確認する必要があります。

金剛山
吉野山　金峯山寺
青根ヶ峰
三重県
高野山　金剛峯寺
山上ヶ岳
大天井ヶ岳
伊勢神宮へ
奈良県
大峯山寺
大普賢岳
大台ヶ原
高野山町石道
大峯奥駈道
八経ヶ岳
小辺路
釈迦ヶ岳
馬越峠
伯母子岳
伊勢路
護摩壇山
城ヶ森山
笠捨山
龍神
牛廻山
十津川
玉置山
松本峠
笠塔山
風伝峠
丸山千枚田
花の窟神社
熊野灘
通り峠
七里御浜
川湯
雲取山
熊野川
川の参詣道
法師山
熊野速玉大社
熊野本宮大社
那智山青岸渡寺
那智大滝
勝浦
熊野那智大社
紀伊大島
潮岬

伊勢路
(42～59ページ)

伊勢神宮（伊勢市）～熊野速玉大社（新宮市）
約170キロ
一般・健脚向きコース

東熊野街道とも呼ばれる道ですが、七里御浜から志古を経て熊野本宮大社への約30キロの本宮道（風伝峠越え）と、川の熊野古道（41ページ）と呼ばれる、志古から熊野速玉大社の区間も含みます。本書はそのなかから一般向きコースを厳選紹介しています。

大峯奥駈道
(106～111ページ)

※修験道の修行の道で熊野古道のひとつとは数えません。

吉野山（吉野町）～熊野本宮大社（田辺市）
約120キロ
健脚・本格登山コース

紀伊山地の背骨にあたる部分を縦走するコースで、最高峰はなんと1915メートルの八経ヶ岳です。完全な本格登山コースであり、また山上ヶ岳は女人禁制であるため、本書では山麓の女人結界まで洞川温泉周辺のコースを紹介することにしました。

熊野古道とは

Kumano Kodo Pilgrimage Routes

熊野古道のはじまり

熊野古道とは、熊野三山へと通じるお参りのための道（参詣道）の総称。熊野三山は、熊野本宮大社、熊野速玉大社、熊野那智大社の３つの神社のことで、京都を中心に各地から、この３社に向かう５つのルートが熊野古道と呼ばれています。

５つのルートとは、紀伊路（渡辺津〜田辺）、小辺路（高野山〜熊野三山）、中辺路（田辺〜熊野三山）、大辺路（田辺〜串本〜熊野三山）、伊勢路（伊勢神宮〜熊野三山）の道で、平安時代に開かれました。

そして、この道には、熊野三山（熊野本宮大社、熊野速玉大社、熊野那智大社・青岸渡寺）、高野山（金剛峯寺）、吉野・大峯（金峯山寺他、吉野の社寺）の霊場が含まれています。

こうした霊場と道の多くが、2004年に「紀伊山地の霊場と参詣道」の一部としてユネスコの世界文化遺産として登録されました（紀伊路は登録除外）。信仰の対象の「霊場」とお参りのための「参詣道」がセットで世界遺産に登録されることは、世界的にみてもとても珍しいことで、「紀伊山地の霊場と参詣道」がいかに特別な存在であるかを物語っています。

古代から近世まで
神聖な地域とされた熊野

熊野古道はなぜ、今も人々を魅了し続けるのでしょうか。霊場のある紀伊山地は、太平洋に張り出した紀伊半島の大部分を占め、そのほぼ中央には標高1000～2000メートル級の高く険しい紀伊山脈が走り、年間3000ミリを超える豊かな雨の恩恵で、深い森林に覆われています。そのため、今も昔も、普通の人が簡単に入っていけるような地域ではありません。

こうした厳しい地理的条件から、紀伊山地は神話の時代から、神々が鎮まる特別な地域とされてきました。『古事記』や『日本書紀』に「国生み」の神様イザナミノミコトのお墓が熊野にあるとされていることや、神武天皇が熊野を通って大和に入るという話も、大昔からこの地が特別な土地だと考えられていたことがわかります。

そして、仏教が盛んになってからは、紀伊山地の山々は阿弥陀仏や観音菩薩のいらっしゃる「浄土」に見立てられ、僧や修験者が神聖な修行を行う場と考えられるようになって行きました。

平安から江戸時代まで
大いに流行した熊野詣で

平安時代の終わりになると、お釈迦様が亡くなって1500年目に“仏教の教えが消滅する世”が訪れるとされる末法思想が広がりました。

この時代になると藤原氏の摂関政治の中で。貴族に変わるべき新しい勢力の武士が台頭し、世の中が大いに乱れる動乱期に入っていきます。こうした世情に、天皇や貴族だけでなく民衆の不安も増していきました。

その中で、「浄土」があるとされる神聖な熊野を詣でると、来世の安泰が得られるという信仰が広まって行ったのです。

この信仰により、長く険しい難路にもかかわらず、熊野三山への参詣が増えていきました。特に注目されるのは時の最高権力者たちの参詣で、後白河法皇を筆頭に、白河・鳥羽・後鳥羽などの上皇や法皇が、繰り返し熊野を参詣したことです。この貴人達のために三山への参詣道が整えられて行きました。

また、熊野三山は女人禁制の霊場でなかったため、貴族や有力な武士だけでなく、一般庶民の参詣も増え続けました。

しかし、平安、鎌倉、室町と続いた熊野参詣も戦国時代に入ると戦乱により参詣者は大幅に減少してしまうのです。

今も人々を熊野古道に引き付ける理由

戦国時代が終わり江戸時代になり、世の中に平和が訪れると爆発的な熊野三山への参詣ブームが起こりました。これが、俗にいう「蟻の熊野詣で」です。

ところが明治維新を迎えると政府による「修験道禁止令」と「神社合祀」により、熊野古道は一時、大きな打撃を受けてしまいます。古道の各地に配された熊野権現の子・王子は近くの神社に合祀され、その社殿の多くは取り壊されたのです。しかし、人々の心の中には、熊野三山に対する信仰心が脈々と受け継がれていました。

そして1980年代後半に入ると、熊野修験道の復活と埋もれていた古道の復興が行われます。

いま、熊野古道に足を運ぶ人々の目的は様々です。本来の熊野詣でを守り、厳しい道を越えて熊野三山を目指す人もあれば、世界遺産として、その歴史的な価値に惹かれる人、ハイキングやトレッキングの一環として熊野古道をひたすら歩く人もいます。また、パワースポットで心と身体を癒そうと訪れる人もいます。

このように熊野古道が人々を引き付ける理由は様々です。しかし、長い時を得て引き継がれた熊野への信仰心や美しい自然への愛情が、熊野古道の人気の源といえるのではないでしょうか。

熊野本宮大社

祈りの道の終着点・熊野神社の総本山にお参りしましょう

熊野三山の中心となる神社で、全国に 4,700 社ある熊野神社の総本宮にあたります。主祭神の家津御子大神（けつみこのおおかみ）(スサノオノミコト)をお祀りし、崇神天皇の 65 年に社殿が造られたと伝わります。

家津御子大神は、木の神・食を司る神とされ、神話ではスサノオノミコト、仏教では阿弥陀如来と同一視されたために、熊野を詣でると来世の安楽を得られるという信仰が広まりました。

元々、熊野の地は記紀の時代から「神の宿る霊地」と考えられていたので、こうした思想から長途の難路にも関わらず、天皇から庶民まで多くの人が熊野詣でを行うことになったのです。

特に注目されるのは、後白河上皇をはじめとして、白河、鳥羽、後鳥羽上皇などの院が繰り返し参詣したことです。

熊野本宮大社は、もとは熊野川の中州にありましたが、明治 22 (1889) 年に大水害にみまわれ、奇跡的に流出を免れた社殿を現在の地へ遷座しました。旧社地は、大斎原（おおゆのはら）と呼ばれ、日本一の大鳥居が建ち、神聖な場所として石祠が残されています。

境内の御本殿は、第一から第四殿まで本殿が一列に並び、それぞれに神様がお祀りされている熊野造りという代表的な神社建築。その姿を今に伝える貴重な建築物で、国の重要文化財に指定されています。

御本殿

檜皮葺が美しい第一から四殿までの本殿（国重要文化財）が一列に並びます。参拝順序は三殿→二殿→一殿→四殿の順に。証誠殿（三殿）に主祭神の家津美御子大神、結殿（一・二殿）に夫須美大神・熊野速玉大神、若宮（四殿）に天照大御神がそれぞれお祀りされています。

拝殿

杉木立に囲まれた158段の石段を登り切った神門の手前、左側に堂々とした拝殿が建ちます。拝殿とは、神様のいらっしゃる本殿に対し、神様に礼を尽くす場所です。神事やご祈祷を行う場所として、本殿の前に建造されています。

境内と社域の見どころ

大斎原

大きさでは、日本一、高さ約34m、幅約42mもある壮麗な大鳥居が建ちます。明治22（1871）年の大洪水で流されるまで、熊野川の中州のこの地に熊野大社本宮があり、6棟の社殿が横一列に並んでいました。ここは、今も特別な聖地として大切にされています。

産田社（うぶたしゃ）

熊野本宮大社の旧社地・大斎原の参道沿いにある本宮大社の末社。八百万の神々をはじめ、この世界の総てを産み出されたとされる「伊邪那美尊（イザナミノミコト）」の荒魂をお祀りしています。特に安産に御利益があるとされ、「産守り」は熊野本宮大社で受けることができます。

プチコラム

熊野本宮大社例大祭

本宮大社で行われる最も大きなお祭りで、毎年4月13～15日にかけて行われます。中でも13日に行われる「湯登神事」は、和歌山県の無形民俗文化財に指定されています。

DATA

MAP 29P

住所	和歌山県田辺市本宮町本宮 1110
電話	0735-42-0009
拝観料	境内無料（宝物殿／現在閉館中）
拝観時間	7:00～17:00（宝物殿 9:00～16:00）
定休日	無休
交通	バス停本宮大社前から徒歩すぐ

Kumano Kodo Pilgrimage Routes

熊野那智大社

那智の滝を神と崇める古社をお参りしましょう

那智の滝を神様と崇める熊野三山の一社。熊野那智大社が鎮座する那智山内では、古来から原生林の間から豪快に流れ落ちる「那智の滝(飛瀧神社)」が神聖視されていました。社伝によると、神武天皇が那智の海岸から上陸する際に、この滝を見て神としてお祀りしたとされ、この後、八咫烏の先導により大和に入ったと伝わります。

熊野那智大社は、元々は那智の滝の側にお祀りされていたが、今から1700年前の仁徳天皇5年に、現在の地に社殿が移され、国作りに功のあった熊野夫須美大神など十三柱の神々が祀られるようになったといいます。

そして、仏教伝来の後には、修験者が厳しい修業を行う霊地として栄え、権現信仰の場として名を広めました。

特に、皇室から厚い崇敬を受け、後白河法皇は34回、後鳥羽上皇は31回も参詣を重ね、さらに、花山法皇が千日の滝籠りをしたことが記録に残っています。

境内には、御本殿・瑞垣・鈴門などの社殿が建ち、国の重要文化財に指定されています。また、昭和47年(1972)に建てられた宝物殿には『那智大社文書』をはじめ絵画、太刀など貴重な文化財が収蔵されています。

拝殿

朱の大鳥居をくぐると拝殿があります。拝殿の奥に本殿があり、向かって右から滝宮（第一殿）、証誠殿（第二殿）、中御前（第三殿）、西御前（第四殿）、若宮（第五殿）、八社殿（第六殿）が並びます。本殿は、鈴門・瑞垣を含め、いずれも国の重要文化財に指定されています。

八咫烏の碑

拝殿の脇に八咫烏の碑が立ちます。八咫烏は、この地に上陸した神武天皇を先導したといわれ、熊野三山においては、神聖なものとして、特に信仰されています。八咫烏の特徴は、三本足であること。サッカー日本代表のシンボルでもあります。

境内と社域の見どころ

重盛公手植えの大楠

那智大楠とも呼ばれる樹齢 800 年の御神木です。平清盛の嫡男重盛が熊野参詣の際に、お手植えしたと伝えられています。根本が空洞になっていて、ここをくぐる胎内くぐりが人気。護摩木（初穂料 300 円）を持って無病息災、長寿を願いながらくぐると願いがかなうとされています。

宝物殿

熊野信仰に係わる文化財、絵画、古文書、尊像、刀剣、古鏡、経塚出土品、祭器具類などが展示されています。室町時代の那智山の様子や熊野参詣の風俗を描いた『那智山宮曼荼羅』、『那智熊野権現本地曼荼羅』が当時の熊野詣での様子を今に伝えてくれます。

※写真提供：熊野那智大社

那智の扇祭り（熊野那智大社例大祭）

毎年 7 月 14 日に行われる例大祭「扇祭」の一幕で、日本三大火祭りのひとつに数えられます。12 体の御神輿を、参道にて 12 本の大松明でお迎えし、その炎で清める神事です。

DATA

MAP	33P

住所	和歌山県那智勝浦町那智山 1
電話	0735-55-0321
拝観料	境内無料（宝物殿 300 円）
拝観時間	8:00 ～ 16:30（宝物殿 8:30 ～ 16:00）
定休日	無休（宝物殿は水曜休）
交通	バス停那智山から徒歩 10 分

Kumano Kodo Pilgrimage Routes

熊野速玉大社

朱塗りの社殿と木々の緑が映える、熊野の聖地をお参りしましょう

通称「速玉さん」「権現さん」などと親しみをもって呼ばれる熊野三山の一社で、熊野速玉大神、熊野夫須美大神をはじめ18柱の神々をお祀りしています。

神社のはじまりは、景行天皇58年の御世とされ、令和10(2028)年には創建1,900年を迎えます。

主祭神の熊野速玉大神は、熊野速玉大社近くの神倉山にあるゴトビキ岩と呼ばれる大岩に降臨した後、現在の地に遷座したと伝わります。今も、速玉大社から徒歩約15分ほどの神倉山には神倉神社が鎮座し、熊野速玉大神が最初に降臨した聖地として崇められています。

式内大社の極位をいただく名社で、中世には皇室をはじめ公家、武士、庶民にいたるまで熊野詣が盛行し、後白河上皇33度、後鳥羽上皇は29度の熊野御幸を賜りました。

境内には、美しい朱色で彩られた拝殿、御神門などの社殿が建ちます。現社殿は、戦後再建されたもの。

また、境内では熊野権現の御神木である梛(なぎ)の大樹が目を引きます。この木は、樹齢1000年を数え、梛としては日本最大で、平重盛のお手植えと伝わり、国の天然記念物に指定されています。この大樹の向かい側にある神宝館には、神社の古い歴史を物語る国宝や重要文化財が数多く収蔵されています。

拝殿

風水害や火災により被害にあった社殿を戦後に再建。美しい朱色で彩られた社殿で、この奥正面には第一殿（結宮）と第二殿（速玉宮）があります。ここに、主祭神の熊野速玉大神（イザナギノミコト）と夫須美大神（イザナミノミコト）の夫婦神が祀られています。

御神門

表参道の正面に建つ門。昭和33年（1958）に建て替えられた朱色が美しい建築物です。巨大な注連縄が架かり、この門をくぐると、瑞垣が見え、その向こうにやはり朱塗りの社殿が横に5棟並んでいます。御神門をはじめとする社殿の紋帳には八咫烏が描かれています。

境内と社域の見どころ

神宝館

御神木「梛の大樹」の向かい側にあります。足利義満奉納と伝えられる古神宝類や熊野檜扇、桐唐草蒔絵手箱などの国宝や重要文化財など、1,200点以上の古神宝類を所蔵、一部を展示しています。美術的価値はもとより、当時の風俗や熊野信仰を伺い知ることができます。

神倉神社

熊野速玉大社の飛地境内摂社で、大社から徒歩約15分の神倉山山上にあります。山頂への538段の石段は源頼朝の寄進によるもの。この石段を登りきると、熊野速玉大神が最初に降臨したといわれる巨岩「ゴトビキ岩」が現れます。

プチコラム

御船祭（熊野速玉大社例大祭）

毎年10月16日に行われる国の重要無形民俗文化財指定の神事で、1,800年以上の歴史を持ちます。神代の時代絵巻を今に伝え、美しい神幸船を先導して9隻の早船競漕が行われます。

DATA

MAP 37P

住所	和歌山県新宮市新宮1
電話	0735-22-2533
拝観料	境内無料（神宝館500円）
拝観時間	5:00～17:00（神宝館9:00～16:00）
定休日	無休
交通	JR新宮駅から徒歩15分

中辺路を歩く

中辺路のコース

コース<01>　滝尻王子～近露王子
コース<02>　近露王子～発心門王子
コース<03>　発心門王子～熊野本宮大社
コース<04>　熊野本宮大社～川湯温泉
コース<05>　川湯温泉～小口
コース<06>　小口～那智の瀧
コース<07>　那智の瀧～熊野速玉大社

かつて上皇や法皇の熊野詣では、ほとんどがこのルートを利用されていました。紀伊田辺の会津橋の西にある出石王子のすぐ東の道分け石を起点に、山へと入って行きます。富田川を幾度か横切りますが、本来橋はなく、川の水に幾度もつかることで聖域に入る前に徐々に清めるということでした。

滝尻王子からいよいよ聖域に入り、熊野本宮大社へほぼ整備された山道が続きます。そこからは、小雲取越え、大雲取越えという峠道を越えて熊野那智大社へ。中世はあまり使われなかったという難路です。那智駅近くにある熊野三所大神社が、元の浜の宮王子で、ここが大辺路への分岐です。王子ヶ浜の海岸沿いに熊野速玉大社へ至ります。

中辺路へのアクセス

紀伊田辺（白浜）と、那智・新宮という紀勢本線や高速バスでのアクセスの良いルートと、熊野本宮という奈良県側からのバスルート、または新宮からのバスルートとなります。

◉紀伊田辺駅へ

京都駅から、JR 特急くろしお［2 時間 56 分／1 往復／6,250 円］

新大阪駅から、JR 特急くろしお［2 時間 25 分／18 往復／5,370 円］

大阪駅 JR 高速バスターミナル（⑦のりば）から、西日本 JR バス・明光バス［3 時間 9 分／9 往復／3,000 円］湊町バスターミナル（OCAT・JR 難波駅）から乗車可。

バスタ新宿（新宿高速バスターミナル）から、西武観光バス・明光バス［10 時間 20 分／1 往復（夜行）／12,300 円（季節変動有）］大宮駅・池袋駅・横浜駅から乗車可。

◉紀伊勝浦駅へ

新大阪駅から、JR 特急くろしお［4 時間 2 分／6 往復／7,020 円］

名古屋駅から、JR 特急南紀［3 時間 57 分／4 ～ 6 往復／7,330 円］

◉勝浦温泉へ（紀伊勝浦駅から徒歩 5 分）

池袋駅東口から、西武観光バス・三重交通バス［10 時間 30 分／1 往復（夜行）／12,700 円］大宮駅・横浜駅から乗車可。

◉新宮駅へ

新大阪駅から、JR 特急くろしお［4 時間 24 分／6 往復／7,350 円］

名古屋駅から、JR 特急南紀［3 時間 36 分／4 ～ 6 往復／7,000 円］

◉三交新宮駅前へ（新宮駅から徒歩 8 分）

名鉄バスセンター（①のりば・名古屋駅前）から、三交南紀交通バス［4 時間 44 分／1 往復／4,200 円］

池袋駅東口から、西武観光バス・三重交通バス［10 時間 12 分／1 往復（夜行）／12,500 円］大宮駅・横浜駅から乗車可。

※熊野本宮大社へは小辺路の項（90 ページ）参照、交通機関の問合せと関西空港からは「熊野古道の交通」（116・117 ページ参照）。

Kumano Kodo
Pilgrimage Routes

01 神域の入口から歩く、人気のコース

滝尻バス停～なかへち美術館前バス停

熊野古道の最人気コースとあって、トイレや道標などよく整備されていて歩きやすくなっています。その反面、休日など女性用トイレは行列ができることもあるので、早めにすませておきましょう。

滝尻バス停からすぐ前の橋を渡ると、右手がとんがり屋根の**熊野古道館**です。12王子社にちなんだ12角形の案内・展示・休憩施設の建物で、ここで予備知識を追加して出発しましょう。ここにはスタンプ帖があり、各王子社にあるスタンプを押してまわるスタンプラリーの起点でもあります。全部押すと「完歩証」がもらえるようです。

すぐ前が五体王子のひとつ**滝尻王子**です。建物は比較的新しいですが、ここからが神域となります。この先から500メートルごとに番号標識が立てられています。ゴールは26番標識のすぐ先なので、ペース配分の参考にしましょう。

ややきつい登り坂を行くと左手に胎内くぐりの巨岩があります。そのすぐ先に、藤原秀衡が子供を置いていったとされる乳岩の2つの巨岩があります。その先の杉木立の中の**不寝王子**(ねずおうじ)までは急坂が続きます。3番標識を過ぎると**展望台**です。この先しばらくは休憩できるポイントがないので、小休憩としましょう。

①スタート地点の**熊野古道館**には、更衣室やコインロッカー、携帯電話の充電器と設備は完璧です。

②平安装束のマネキンが、古道歩きの雰囲気を大いに盛り上げてくれる、**熊野古道館**の展示です。

コースプランのヒント Hint!

紀伊田辺か白浜温泉で前泊し、路線バスで滝尻へ行くのがいいでしょう。翌日、次の発心門王子へ続けて歩くなら、近露周辺に民宿と旅館が数軒あるので便利です。

【コースプラン】

A 滝尻バス停→【1分・0.1km】→ B 熊野古道館→【1分・0.1km】→ C 滝尻王子→【20分・0.5km】→ D 不寝王子→【35分・1.1km】→ E 展望台→【55分・2.1km】→ F 高原熊野神社→【50分・1.8km】→ G 大門王子→【35分・1.5km】→ H 十丈王子→【50分・2.0km】→ I 上多和茶屋跡→【45分・1.9km】→ J 大阪本王子→【35分・1.6km】→ K 牛馬童子像→【10分・0.5km】→ L なかへち美術館前古道歩きの里ちかつゆバス停

【歩行時間】 **5時間35分**

【歩行距離】 **13.2km**

③滝のような急流の音が聞こえるところから命名されたという、**滝尻王子**。皇族などが歌会をした場所です。

ここから尾根道の下り坂で、階段や石畳、林道を横断しながら進み、針地蔵とテレビの中継所を過ぎると、鎌倉時代創建の古社、**高原熊野神社**に着きます。春日造りの社殿がある古社で、最初の給水ポイントですが、すぐ先に設備も充実した高原霧の里休憩所がありますから、もうひとふんばりしましょう。

下地への市道と別れ、石畳の登り坂を過ぎて、8番標識の先から山道になります。11番標識は朱塗の社殿の**大門王子**に並んでいます。かつては大鳥居があったことから、大門の名が付いたということですが、それ以前は「水のみ」と呼ばれていた給水地点だったようです。アップダウンを繰り返しながら進むと、十丈峠となり、石碑と説明板だけの**十丈王子**に着きます。かつては重照（點）王子だったようで、江戸時代には数軒の茶屋があった記録があります。その先は、右手が崖なので要注意です。17番標識から、つづら折れの急坂を上ると、このコースの最高地点である、**上多和**(うえたわ)**茶屋跡**です。見晴らしが良く、すぐ南の標高781メートルの悪四

④この岩穴をくぐると安産の御利益があるといわれるため、若い女性に人気の、胎内くぐりの乳岩です。

コラム

マイカー・レンタカーでも便利
乗用車搬送サービス

滝尻→近露は、6000円で乗用車を回送してくれるサービスがあります。電話で予約して滝尻の指定の駐車場に車を止め、**熊野古道館**で手続きをします。近露へ着いたら、近露王子のすぐ先の井谷商店でキーを受け取って、熊野古道なかへち美術館に隣接した駐車場から再スタートできます。

予約・問合せは**熊野古道館** ☎0739-64-1470

⑤５番標識を過ぎて、林道を越えた右手にひっそり佇む針地蔵、左手に看板があるのですぐわかります。

⑥大樹の中を高原への道は、木の根が盛り上がって歩きにくいところもあるので、足もとに気をつけましょう。

⑧紀州藩主が建立した碑がある**大門王子**ですが、江戸時代になってからできた比較的新しい王子です。

⑦社殿が県指定文化財になっている**高原熊野神社**は、熊野本宮大社から勧請したと伝わる直系の神社です。

⑨小判地蔵の入口、**十丈王子**の周囲は竹やぶですが、茶屋など数軒の建物があった跡のようです。

郎山が良く見えます。悪四郎という力持ちの男が住んでいたことからといわれていますが、屋敷跡は**十丈王子**の近くにあります。ここから下りとなり、三体月伝説の地へ出ます。旧暦の11月23日に、月が3つに見えるといわれています。実際に観測されたこともある現象ですが、この日に必ず見えるわけではありません。林道を横切り、道幅の狭い滑りやすい下り坂の坂尻の谷を注意して過ぎると**大坂本王子**です。旧国道を横切り、山道を上ると**牛馬童子像**があります。弁財天に仕える十六童子の一人で花山法皇の旅姿を写したとされ、現在のものは明治に造られ、平成の修復を経たものです。隣に役行者像が並んでいます。さらに花山院の経塚とよばれる塔があり、江戸時代はこちらのほうがよく知られていたようです。急な坂を下り、26番標識の先で日置川に架かる北野橋を渡るといよいよ近露王子です。花山法皇が「血か露か」と訪ねられた地であるからという伝説があります。

右手に熊野古道なかへち美術館、近露王子公園があり、このコースの終点、**なかへち美術館前バス停**となります。なお、すぐそばの箸折茶屋には足湯「禊の湯」がありますから、疲れた足を癒すことにしましょう。

⑩かなりの急坂であることから、古くから大坂と呼ばれていた峠の麓に立つ**大坂本王子**。

⑪かわいらしくて人気の**牛馬童子像**は、牛と馬に跨る高さ50センチほどの小さな石像です。

① 滝尻バス停へのアクセス

紀伊田辺駅から、龍神バス・明光バス[35分／970円]
南紀白浜空港から、
明光バス快速熊野古道号[1時間35分／1,500円]
白浜バスセンターから、
明光バス快速熊野古道号[1時間10分／1,370円]
新宮駅から、明光バス快速熊野古道号[1時間45分／2,350円]
本宮大社前から、明光バス快速熊野古道号[55分／1,520円]

② なかへち美術館前バス停へのアクセス

紀伊田辺駅から、龍神バス・明光バス[1時間1分／1,410円]
南紀白浜空港から、
明光バス快速熊野古道号[1時間47分／1,900円]
白浜バスセンターから、
明光バス快速熊野古道号[1時間34分／1,750円]
新宮駅から、明光バス快速熊野古道号[1時間20分／1,950円]
本宮大社前から、明光バス快速熊野古道号[29分／1,090 円]

コラム

悪四郎伝説

力持ちで知られた十条四郎は、あるとき太い松の枝に腰掛けていたところ、熊野詣での一行が来て、同じ枝に腰掛けました。「私が立つと、枝が戻って跳ね飛ばされるぞ」といいましたが、そんな馬鹿なことがあるかとだれも気にとめません。四郎が立ちあがると松の枝が持ち上がり、一行は跳ね飛ばされたということです。

Kumano Kodo
Pilgrimage Routes

茅葺茶屋へは、アップダウンの繰り返し

なかへち美術館前バス停〜発心門王子バス停

人気コースの続きですが、途中、岩神王子の前後は地すべりの危険があるため迂回ルートです。

なかへち美術館前古道歩きの里ちかつゆバス停を出発、郵便局先の 27 番標識左手民家横の石段を登ると、承久の乱で活躍した**野長瀬一族の墓**があります。**楠山坂登り口**からはしばらく登り坂が続き、31 番標識を過ぎると**比曽原王子**です。

登りが続き、伝馬所跡を過ぎると**継桜王子**(つぎざくら)です。茅葺のとがの木茶屋が秀衡桜と並んでいます。上地集会所の先に安倍晴明腰掛石（とめ石）があります。

中川王子は道を外れた坂の上にあります。蛇行した道を進むと**小広王子**です。40 番標識先の坂を下るとT字路の突き当たりで町道に出、道標に従い右手へ進み、すぐ先をに左へ入ります。41 番標識の先の橋を渡ると広場に出ますが、**熊瀬川王子**の石碑があります。わらじ峠の坂を下ると林道で、橋を渡れば**仲人茶屋跡**です。ここから迂回路になり、厳しい道です。**蛇形地蔵**の先で本来の道となり、51 番標識の先が**湯川王子**です。坂を登りきると**三越峠**で、今度は急な下りです。赤城越え分岐を過ぎれば**船玉神社**です。林道をはずれると猪鼻王子です。川から外れて登り坂を行き、大鳥居をくぐると**発心門王子**(ほっしんもん)です。

①昔は手枕松という松の名木が近くにあったという**比曽原王子**ですが、名前の由来はわかっていません。

②桜が植え替えられて続くということから命名された**継桜王子**は、次桜、続桜とも書く文献が残っています。

コースプランのヒント

Hint!

発心門王子発のバスは 14 時 53 分。これをのがすと本宮大社まで 2 時間歩かなくてはならないので、逆算して 8 時にはスタートしたい。ただし、4 〜 11 月は期間運行便、16 時 28 分発があります。

【コースプラン】

A なかへち美術館前古道歩きの里ちかつゆバス停→【8 分・0.5km】→ **B** 野長瀬一族の墓→【15 分・0.9km】→ **C** 楠山坂登り口→【25 分・1.3km】→ **D** 比曽原王子→【20 分・1.2km】→ **E** 継桜王子→【15 分・1.0km】→ **F** 中川王子→【30 分・2.1km】→ **G** 小広王子→【15 分・0.7km】→ **H** 熊瀬川王子→【25 分・1.1km】→ **I** 仲人茶屋跡→（迂回ルート）【90 分・4.2km】→ **J** 蛇形地蔵→7 分・0.4km】→ **K** 湯川王子→【20 分・0.8km】→ **L** 三越峠→【50 分・3.1km】→ **M** 船玉神社→【7 分・3.1km】→ **N** 発心門王子バス停

【歩行時間】 **6 時間**

【歩行距離】 **18.5km**

③迂回のため、現在は見ることができない岩神王子ですが、岩神峠にあり、江戸以前は石神だったそうです。

④皇族や貴族の宿泊所があった**湯川王子**は、戦国時代に活躍した湯川氏の発祥の地であるともされています。

1 **なかへち美術館前バス停へのアクセス**

紀伊田辺駅から、龍神バス・明光バス[1時間1分／1,410円]
南紀白浜空港から、
明光バス快速熊野古道号[1時間47分／1,900円]
白浜バスセンターから、
明光バス快速熊野古道号[1時間34分／1,750円]
新宮駅から、明光バス快速熊野古道号[1時間20分／1,950円]
本宮大社前から、明光バス快速熊野古道号[29分／1,090円]

2 **発心門王子バス停へのアクセス**

紀伊田辺駅から、龍神バス[2時間21分／2,340円]
本宮大社前から、龍神バス[15分／470円]

コラム

秀衡桜の伝説

継桜王子のすぐ先の大きな桜は、藤原秀衡が熊野へ向う途中、杖にしていた桜の木をここに突き刺し、道中安全を祈願したところ、帰りには見事に咲いていたという伝説があります。以前は継桜王子の前にあったそうですが、明治の水害で倒れて、現在地に移されたそうです。江戸時代にも植え替えられ、何代目かの桜です。

Kumano Kodo
Pilgrimage Routes

関所を越えて熊野本宮へ

発心門王子バス停～熊野本宮大社

発心門王子へのバス路線ができたところから、歩きやすく熊野本宮大社へのゴール気分を気軽に味わえる短距離コースが誕生しています。

スタートの**発心門王子**は王子の中でも格上の五体王子のひとつです。ここからは、ほぼ林道と舗装道路で歩きやすくなっています。標高は 300 メートル程で、ゴールまではほとんどがゆるやかな下りとなります。スタートしてすぐに新しい休憩所があり、次の**水呑王子**までは舗装道路となります。廃校になった小学校の隣に**水呑王子**があり、ここから地道となります。

伏拝の集落と、菊水井戸を過ぎると茶畑となり、坂を登ると伏拝王子の休憩所が見えてきます。その向かいの高台にあるのが**伏拝王子**です。小さな石祠があり、果無山脈や大斎原が望めます。ゆるやかな下りの地道を行き、71 番標識を過ぎると**三軒茶屋**跡です。ここで、十津川方面からの小辺路と合流します。73 番標識まで、なだらかな登り坂が続きます。その先、少し下った所を左手に入ると展望台があり、大斎原の大鳥居が見えます。いよいよ最後の 75 番標識のすぐ先が**祓所王子**です。**熊野本宮大社**の裏鳥居をくぐれば、このコースのゴールとなります。

①**水呑王子**付近は、針葉樹の木立の中を歩きます、中辺路のほとんどは針葉樹林になっています。

②朱塗の**発心門王子**。発心門とは聖域の入口という意味で、悟りを開く4つの門のひとつです。

コースプランのヒント

Hint!

発心門王子行きのバスは、朝昼のみの運行で、3 便は紀伊田辺駅から直通しますので便利です。このコースは短いコースので、引き続き川湯温泉まで歩くという手もあります。

【コースプラン】

A 発心門王子バス停→【30 分・1.7km】→ B 水呑王子→【30 分・1.9km】→ C 伏拝王子→【20 分・1.2km】→ D 三軒茶屋跡→【35 分・1.9km】→ E 祓所王子→【3 分・0.2km】→ F 熊野本宮大社

【歩行時間】 **2 時間**

【歩行距離】 **6.9km**

③水場がある**水呑王子**ですが、江戸以前は「水飲王子」と書いていたようで、古くからの給水ポイントです。

④小さな石祠のある**祓戸王子**ですが、祓殿王子とも書くようで、遥拝所というより、潔斎場の役割の王子です。

アクセス 

① 発心門王子バス停へのアクセス

紀伊田辺駅から、龍神バス[2時間21分／2,340円]
本宮大社前から、龍神バス[15分／470円]

② 熊野本宮大社（本宮大社前）へのアクセス

紀伊田辺駅から、龍神バス・明光バス[2時間5分／2,100 円]
白浜空港から、明光バス快速熊野古道号[2時間20分／2,550円]
白浜バスセンターから、
明光バス快速熊野古道号[2時間5分／2,350円]
新宮駅から、明光バス快速熊野古道号[59分／1,560円]
新宮駅から、熊野交通バス・奈良交通バス[1時間17分／1,560円]
新宮駅から、熊野交通バス特急[59分／1,560円]
近鉄大和八木駅から、奈良交通バス[5時間10 分／4,000円]

コラム

伏拝王子のアジサイ

熊野古道では、熊野那智大社に並ぶアジサイの名所。茶屋のまわりに咲くアジサイは疲れを癒してくれます。見ごろは６月上旬から下旬ですが、最近は年によって結構変動するので、観光協会にお問合せを。

Kumano Kodo
Pilgrimage Routes

04 大日越えの湯めぐり

熊野本宮大社〜川湯温泉バス停

熊野本宮大社から**大日越え**をして、**湯の峰温泉**、**渡瀬温泉**、**川湯温泉**と、歩行行程は短いですが、温泉めぐりが楽しめるコースです。

熊野本宮大社の参道から本宮大社前のバス停へ出て国道を横断します。鳥居をくぐった先が**大斎原**（おおゆのはら）、**熊野本宮大社**の旧社地です。大洪水により、この地にあった大社が流されてしまい現在地に遷座しました。あたり一帯には神秘的な雰囲気が漂います。

ふたたび国道へ出て岩田橋を渡り、右手を鋭角に入ると**大日越登り口**の道標があります。石段を登ってさらに急な登り坂が続きます。1番標識を過ぎて少し行くと、**月見ヶ丘神社**です。さらに大日山の中腹の杉とヒノキの茂る道を進むと、**鼻欠地蔵**に着きます。鼻も顔もよくわからないお地蔵様です。

ここから下り坂となり、3番標識のすぐ先右手が**湯峯王子**です。橋を渡り左手へ少し行くと、90度の温泉が湧き出す共同炊事場の湯筒があります。すぐ南が**湯の峰温泉**のバス停です。バス道を南に進み、左手の道に入って、四村川に架かる**熊野瀬橋**を渡り、バス道に戻り、渡瀬温泉の日本最大の露天風呂の向かいから再度山道に入り、温泉隧道の真上の道を下りてくると終点、**川湯温泉**、公衆浴場前に到着です。

①針葉樹林の中を歩く**大日越**の道は、急坂の連続ながら、距離はさほど長くなく、下りれば温泉なので気も楽です。

②東光寺の裏の丘にある**湯峯王子**は、平安時代に記録はなく、鎌倉時代にできた王子と考えられています。

コースプランのヒント Hint!

本宮温泉郷とあって宿泊施設が多いので、1泊して湯めぐりハイクも楽しめます。川湯や湯の峰の公衆浴場は、朝から開いていますのでゆったり湯めぐりが楽しめます。しかし、湯上りすぐの山越えは身体に悪いので休み休み回りましょう。

【コースプラン】

A 熊野本宮大社→【10分・0.8km】→ **B** 大斎原→【5分・0.4km】→ **C** 大日越登り口→【20分・0.7km】→ **D** 月見ヶ丘神社→【10分・0.4km】→ **E** 鼻欠地蔵→【20分·0.9km】→ **F** 湯峯王子→【5分·0.2km】→ **G** 湯の峰温泉→【20分・1.5km】→ **H** 熊野瀬橋→【20分・1.4km】→ **I** 川湯温泉バス停

【歩行時間】 **1時間50分**

【歩行距離】 **6.4km**

③日本最古の温泉、**湯の峰温泉**街には、小栗判官が入って蘇生したと伝えられるつぼ湯があります。

④川原に湧き出す川湯温泉へは、**湯の峰温泉**からのバスが2時間に1本です。湯あたりしたらバスで移動しましょう。

アクセス

① 熊野本宮大社へのアクセス（本宮大社前バス停）

紀伊田辺駅から、龍神バス・明光バス［2時間5分／2,100円］
白浜空港から、明光バス快速熊野古道号［2時間20分／2,550円］
白浜バスセンターから、
明光バス快速熊野古道号［2時間5分／2,350円］
新宮駅から、明光バス快速熊野古道号［59分／1,560円］
新宮駅から、熊野交通バス・奈良交通バス［1時間17分／1,560円］
新宮駅から、熊野交通バス特急［59分／1,560円］
近鉄大和八木駅から、奈良交通バス［5時間10 分／4,000円］

② 川湯温泉バス停へのアクセス

紀伊田辺駅から、龍神バス［1時間54分／1,930円］
新宮駅から、熊野交通バス・奈良交通バス［58分／1,570円］
近鉄大和八木駅から、奈良交通バス［5時間31分／4,200円］

コラム

鼻欠地蔵の伝説

左甚五郎の弟子が毎日仕事場へ弁当を届けていました。弟子は地蔵に毎日一つを供えていましが、甚五郎は一つ足らない事に気づいて、弟子の鼻を削ぎました。鼻が欠けた地蔵を見て、甚五郎は全てを悟り反省しました。

Kumano Kodo
Pilgrimage Routes

05 尾根道を歩く 小雲取越え

川湯温泉～小口バス停

川湯温泉から小雲取越えをして、小口バス停への比較的なだらかなコースで、古道気分が十分楽しめます。室町時代に船賃節約のために開かれた道です。

川湯温泉バス停から**請川バス停**まではバス道を歩きますので、バス利用も可能ですが2時間に1本です。バスなら下地橋まで乗るのが良いでしょう。

請川から国道を歩き、下地橋バス停のすぐ手前を右手に入り石段を登ります、子安地蔵の看板の前を左折、民家の間を抜けると山道になります。53番標識を過ぎると、左手に熊野川が一望できるポイントに出ます。ここからゆるやかな上りが続く尾根道になります。47番標識を過ぎると石垣の残る**松畑茶屋跡**で、さらに少し上ると**万才峠(ばんぜとうげ)の分岐**です。分岐を右にとり、急な坂を登った先が絶景スポット**百間ぐら**です。このルートの最高地点で、あとは下りが多くなります。少し山腹を進むと下りにかかり、ほどなく**林道交差**です。だらだら上り下りする階段に差しかかると左手に賽の川原地蔵、40番標識を過ぎると**石堂茶屋跡**です。ゆるやかなアップダウンを過ぎると**桜峠**、急な坂を下ると**桜茶屋跡**です。しばらく尾根道を進み、石段を下ると小和瀬橋で、**小和瀬渡し場跡**です。小口トンネルの先が**小口バス停**です。

①小雲取越えの道は、これに続く大雲取越えのウオーミングアップのコースともいわれています。

②53番標識の先にある、熊野川をのぞむ絶景スポットです。ゆったり流れる川ですが時にはあばれ川となります。

コースプランのヒント Hint!

終点の小口からバスで新宮方面などへ行く方法もありますが、小口自然の家や小口家族キャンプ村という宿泊施設があるので、ここで1泊すればバスの時間を気にせず歩けますし、翌日の大雲取越えも便利です。起点側も川湯温泉、請川に宿があります。

【コースプラン】

A 川湯温泉バス停→【25分・2.2km】→ B 請川バス停→【1時間15分・3.8km】→ C 松畑茶屋跡→【5分・0.3km】→ D 万才峠の分岐→【30分・1.4km】→ E 百間ぐら→【15分・0.9km】→ F 林道交差→【20分・1.1km】→ G 石堂茶屋跡→【35分・1.6km】→ H 桜峠→【10分・0.5km】→ I 桜茶屋跡→【50分・2.4km】→ J 小和瀬渡し場跡→【20分・1.0km】→ K 小口バス停

【歩行時間】 4時間45分

【歩行距離】 15.24km

③**万才峠の分岐**の道標ですが、「ばんぜ」と読み、古くは「番西」とも書いていたようです。

④果無山系、大塔山系など紀伊山地の山並が美しい絶景の**百間ぐら**は、中辺路一の景色ともいわれています。

アクセス

① 川湯温泉バス停へのアクセス

紀伊田辺駅から、龍神バス[1時間54分／1,930円]
新宮駅から、熊野交通バス・奈良交通バス[58分／1,570円]
近鉄大和八木駅から、奈良交通バス[5時間31分／4,200円]

② 小口バス停へのアクセス

新宮駅から、熊野交通バス小口行き[54分／1,030円]※1)
(※1)日中は神丸で乗り換え
新宮駅から、神丸まで熊野交通バス・奈良交通バス[34分／930円]
神丸から、小口まで[12分／100円]

コラム

小和瀬の渡し

赤木川に小和瀬橋が架かる60年程前まで、渡し船がありました。渡し場跡の碑には渡し賃、つまり舟の乗船料が書かれています。水量により値段がちがっていたことがが判ります。

Kumano Kodo
Pilgrimage Routes

06 中辺路のサミット、大雲取越え

小口バス停～那智の滝

小口バス停から大雲取越えをして、那智の滝へ標高 1000 メートルの難所を歩く本格コースです。小口バス停から渡月橋で小口川を渡り、小口橋前を過ぎると**大雲取登り口**で、すぐ登りになります。28 番標識を過ぎると**円座石**（わろうだいし）です。**楠の久保旅籠跡**から５分程進むと、兵連方面分岐に出ます。ここから大山経由で小口へ戻れます。ここからが石畳の急な胴切坂の登りで、滑りやすいので要注意です。右手に歌碑が見えたら頂上の**越前峠**です。

石畳の急坂を下ると林道に合流、左手に苔むした石段が見えてきます。その先は石畳の急な登りになり、登り切ると**石倉峠**です。ふたたび急な石畳の道を下ると**地蔵茶屋跡**です。川沿いにゆるやかな登りが続きます。**林道合流**、**林道交差**と、林道と交錯しますから道標に要注意です。

林道と合流し 11 番標識を過ぎると、花折街道交差の**色川辻**です。急な石段を登ると舟見峠で、少し行くと右手に那智勝浦が一望できる**舟見茶屋跡**です。下りと平坦がしばらく交互に続き、石段を下ると**登立茶屋跡**（のぼりたてちゃやあと）です。ここから下りが続き林道先で那智高原公園に入ります。入口に**休憩所**があります。程なく**青岸渡寺**（せいがんとじ）**・熊野那智大社**です。石段を下るとゴールの**那智の滝**です。

①**円座石**と書いて「わろうだいし」は、まるい座布団のような石ということで、神様が座って談笑したといわれます。

②二の滝・三の滝への分岐から、温帯性と暖帯性の混淆の原始林の中の道を行くと、花山法皇が修行した二の滝にでます。

コースプランのヒント Hint!

小口へは朝のバスで入ると、休日でないと出発が遅くなって不便なので小口宿泊が便利です。逆コースなら前日に勝浦温泉に宿泊するのが便利です。

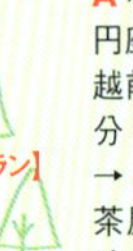

【コースプラン】

A 小口バス停→【3 分・0.2km】→ **B** 大雲取登り口→【20 分・0.8km】→ **C** 円座石→【30 分・1.4km】→ **D** 楠の久保旅籠跡→【1 時間 5 分・2.4km】→ **E** 越前峠→【25 分・1.1km】→ **F** 石倉峠→【15 分・0.6km】→ **G** 地蔵茶屋跡→【25 分・1.3km】→ **H** 林道合流→【8 分・0.4km】→ **I** 林道交差→【15 分・0.8km】→ **J** 色川辻→【25 分・1.1km】→ **K** 舟見茶屋跡→【35 分・1.4km】→ **L** 登立茶屋跡→25 分・1.2km】→ **M** 那智高原休憩所→【25 分・1.2km】→ **N** 青岸渡寺・熊野那智大社→【15 分・0.9km】→ **O** 那智の滝

【歩行時間】 **5 時間 30 分**

【歩行距離】 **14.8km**

③**熊野那智大社・青岸渡寺**。三重塔越しに那智の滝が見えるお馴染みの景色が楽しめます。

④ゴールの**那智の滝**は、太平洋上からも良く見えるので、徐福はこれを目印にしたといわれています。

① 小口バス停へのアクセス

新宮駅から、熊野交通バス小口行き[54分／1,030円]※1)
(※1)日中は神丸で乗り換え
新宮駅から、神丸まで熊野交通バス・奈良交通バス[34分／930円]
神丸から小口まで[12分／100円]

② 那智の滝へのアクセス

紀伊勝浦駅から、熊野交通バス[24分／630円／那智の滝前下車]
那智駅から、熊野交通バス[15分／490円／那智の滝前下車]

コラム

亡者の出会い

色川辻から舟見峠への坂は、八丁坂と呼ばれていますが、別名「亡者の出会い」ともいい、空腹の旅人にとりつく「ダル」という魔物が出没するといわれていました。確かに鬱蒼とした木立の道は、魔物がでそうな雰囲気です。博物学者の南方熊楠も、ここで「ダル」に会い、慌ててご飯を口にしたと手紙を書いています。

Kumano Kodo Pilgrimage Routes

那智の滝 飛瀧神社

神聖な那智の滝をご神体とする神社

熊野那智大社の別宮、飛瀧神社（ひろうじんじゃ）のご神体として古くから畏敬を集めてきた名瀑で、「一の滝」と称されます。

那智の滝とは、那智山内の瀧篭修行の行場とされる48滝の総称で、今も神聖な修行の場です。

青岸渡寺（せいがんとじ）開祖と伝えられる裸形上人や花山法皇も二の滝の断崖上に庵を設けて、3年間にわたる千日滝篭行をしたと伝えられています。

「一の滝」は、落差133m、滝壺の深さは10mと一段の滝としては、落差日本一で見る者を圧倒する迫力です。

境内と社域の見どころ

飛瀧神社社務所

那智の滝をご神体とする飛瀧神社には、拝殿・本殿などはありません。那智の滝は神武天皇東征の折、大和に入られる前に大己貴神をお祀りしたとされる滝で、明治以降、熊野那智大社の別宮「飛瀧神社」となりました。

那智滝延命瀧水

延命長寿お瀧水へは鳥居の横にある入口から入ります。入口から歩いてすぐに延命長寿お瀧水前に到着。お瀧水は、冷たくおいしい水です。ここからしばらく歩くと、那智の滝がよく見える拝所舞台があります。

二の滝

那智の滝よりも上流にある滝が二の滝です。国の名勝として「那智大滝」と指定されているのは、一の滝、二の滝、三の滝です。ここは修行場で、入山するのには熊野那智大社にてお祓いを受けてからになります。

プチコラム 御滝注連縄張替行事

毎年7月9日と12月27日には、昔からの神事にのっとり、神職により那智大滝の銚子口の注連縄の張り替えが行われます。その神事の様子は、拝所舞台からも見ることができます。

DATA

MAP 37P

住所	和歌山県東牟婁郡那智勝浦町那智山
電話	0735-55-0321
拝観料	無料（拝所舞台300円）
拝観時間	8:00～16:30
定休日	無休
交通	バス停那智の滝前下車、徒歩5分

Kumano Kodo Pilgrimage Routes

那智山 青岸渡寺（せいがんとじ）

那智大滝に出現した観音菩薩を本尊とする寺院

西国三十三ヶ所第一番札所。本尊の如意輪観世音像は、4世紀にインドから那智に渡来した裸形上人が、那智滝の滝壺で見つけたといわれる観音様。

後に、推古天皇の勅願寺となり、丈六の本尊を安置し、その胎内に裸形上人が感得した如意輪観音を納めたと伝わります。

本堂は、天正18年(1590)に豊臣秀吉が再建、桃山時代の様式を今に伝えています。本堂後方には、那智の滝との調和が美しい三重塔が建ち、絶好の撮影ポイントとなっています。

境内と寺域の見どころ

那智の滝

背後に流れ落ちる那智の滝との調和が美しい三重塔は、昭和47年(1972)に再建された朱の美しい塔です。三重塔の2階は展望所を兼ねていて那智の滝のビューポイントとしても知られています。

那智原始林

那智滝の東に広がる原始林は、熊野那智大社の社有林で、国の天然記念物に指定されています。イスノキやシイなどの照葉樹林の林相を示し、さらにシダ類などの林床植物も豊富な貴重な森林です。

那智大黒天

青岸渡寺の本堂の裏手にあり、階段を登ると大黒天堂があり、大黒様を中心に七福神が祀られています。大黒様は。食物や財福を司る神様で、米俵に乗り福袋と打出の小槌を持った微笑の長者の姿をされています。

プチコラム **開山祭**

毎年4月の第2日曜日に行われるお祭りで、熊野三山のひとつ那智山の開山祭です。熊野那智大社と青岸渡寺は、もともとは神仏習合の一大修験場でした。開帳された本尊観世音菩薩前での献茶法要が行われます。

DATA MAP 37P

住所	和歌山県東牟婁郡那智勝浦町那智山8
電話	0735-55-0001
拝観料	無料(三重塔200円)
拝観時間	5:00〜16:30(三重塔8:30〜15:30)
定休日	無休
交通	バス停那智山下車、徒歩15分

Kumano Kodo
Pilgrimage Routes

那智川沿いに、熊野灘へ

那智の滝～那智駅・三輪崎駅～熊野速玉大社

那智の滝、熊野那智大社から熊野速玉大社への海沿いのルートです。途中の那智駅と三輪崎駅の間は、電車かバスで移動します。

那智の滝から石段を上り、**青岸渡寺**（せいがんとじ）・**熊野那智大社**へ参拝し、土産物店などが並ぶ石段を下り、那智山駐車場から大門坂の石段を下ります。**多富気王子**（たふけおうじ）の石碑の先には樹齢800年という夫婦杉が立っています。県道を横断し、庚申塔を過ぎたところが**市野々王子**（いちののおうじ）です。北条政子を供養する**尼将軍供養塔**の前からは、ゆるやかな下り坂となり、県道と合流します。国道バイパスをくぐると、補陀洛山寺、隣接して**浜の宮王子**があります。**那智駅**へは国道の先すぐです。（那智駅～三輪崎駅はバス移動が便利）

三輪崎駅からは進路を北へとり、三輪崎踏切を渡ります。展望台への分岐の先が**金光稲荷神社**で、逆川を渡ると**高野坂入口**です。直進すると近世の熊野古道ですが、線路をくぐり、海沿いの古来の道を進みます。ここは雨が続くと浸水します。その時は山側の県道へ迂回しましょう。堤防沿いに進み、県道の下をくぐるとすぐ**浜王子神社**です。新宮市街地に入りますが、徐福公園の前を通り、鳩ぽっぽの歌碑が正面にある**新宮駅**に出ます。**新宮城跡（丹鶴城跡）**から浜街道を行くと、**熊野速玉大社**です。

①那智黒石で作られている、大門坂の立派な石碑です。坂の上に大きな門があったことからこの名が付きました。

②藤原定家が最終の王子としたのがこの**多富気王子**で、「たふけおうじ」と読みますが由来は不明です。

コースプランのヒント

那智駅から三輪崎駅へのJR普通電車は、日中2～3時間に1本、熊野交通バスだと30分に1本なので、バスが便利です。電車だと12分、バスだと約20分です。

【コースプラン】

A）A 那智の滝→【15分・0.9km】→ B 青岸渡寺→【30分・0.9km】→ C 多富気王子→【25分・1.6km】→ D 市野々王子→【25分・1.0km】→ E 尼将軍供養塔→【45分・3.0km】→ F 浜の宮王子→【3分・0.2km】→ G 那智駅

B）H 三輪崎駅→【15分・1.0km】→ I 金光稲荷神社→【15分・1.0km】→ J 高野坂入口→【40分・2.3km】→ K 王子ヶ浜入口→【3分・0.2km】→ L 浜王子神社→【20分・1.3km】→ M 新宮駅→【10分・0.5km】→ N 新宮城跡→【15分・0.9km】→ O 熊野速玉大社

【歩行時間】
A）2時間
B）2時間

【歩行距離】
A）7.6km
B）6.2km

アクセス

1 那智の滝へのアクセス

紀伊勝浦駅から、熊野交通バス[24分／630円／那智の滝前下車]
那智駅から、熊野交通バス[15分／490円／那智の滝前下車]

2 熊野速玉大社へのアクセス

新宮駅から、徒歩15分

コラム

川原家横丁

熊野速玉大社の熊野川寄りのすぐにあるのが、川原家横丁です。江戸時代から昭和初期にかけて河川敷にあった簡易店舗街「川原家」を再現したもので、当時の簡易な木造建築を忠実に再現した店舗で、名物のめはり寿司などが味わえます。16時閉店と早いので参拝前に寄っておきましょう。

MAP 29P 旅館あづまや（湯の峰温泉）

老舗旅館で歴史に抱かれた至福のひと時を

日本最古の温泉ともいわれる湯の峰温泉にあって、江戸時代から続く老舗旅館。総槙造りの浴槽、湯気を味わう蒸し風呂、温泉を利用した料理の数々を堪能できると評判です。

- 0735-42-0012
- 和歌山県田辺市本宮町湯峯 122
- 22 室
- 1 泊 2 食付・15,000 円〜（税別・サ込）
- あり
- バス停湯の峰温泉下車、徒歩 1 分

中辺路の温泉と宿

MAP 29P よしのや旅館（湯の峰温泉）

湯治場の雰囲気を色濃く残す温泉宿

湯の峰温泉の最奥に位置する老舗旅館。内湯と展望風呂が楽しめる温泉はもちろんかけ流しです。料理は、地元の旬の味覚を活かした献立が並び、名物温泉湯豆腐も好評です。

- 0735-42-0101
- 和歌山県田辺市本宮町湯の峰 359
- 8 室
- 1 泊 2 食付・11,150 円〜
- あり
- バス停湯の峰温泉下車、徒歩 2 分

ペンションあしたの森（川湯温泉）

熊野牛のステーキが味わえる宿

川湯名物・仙人風呂のすぐ目の前に建つペンション。夕食は、熊野特産の黒毛和牛・熊野牛のサーロインステーキのコースメニューを。川湯温泉を眺めながら温かみのある料理を楽しみましょう。

- 0735-42-1525
- 和歌山県田辺市本宮町川湯 1440-2
- 6 室
- 1 泊 2 食付・10,650 円～
- あり
- バス停ふじや前下車、徒歩 1 分

温泉民宿 大村屋（川湯温泉）

かけ流しの温泉でほっこり、お部屋でゆったり

四季それぞれに表情豊かな熊野・川湯温泉にあるかけ流しの温泉で知られる民宿。温かみのある家族的なもてなしとペットにも優しい。熊野古道歩きの宿として活用したい。

- 0735-42-1066
- 和歌山県田辺市本宮町川湯 1406-1
- 30 室
- 1 泊 2 食付 10,530 円～
- あり
- バス停川湯温泉下車、徒歩 3 分

熊野本宮周辺には、本宮温泉郷とよばれる3つの温泉があり、いずれも熊野参詣の湯垢離場です。なかでも皇族も入湯したのが湯の峰温泉、川の中から湧出しているその名の通りの川湯温泉、そして広大な露天風呂で知られる渡瀬温泉です。

MAP 29P わたらせ温泉ホテルささゆり（渡瀬温泉）

大露天風呂でのんびりと

西日本屈指の広さを誇る大露天風呂と 8 ヶ所の貸切露天風呂が人気のお宿。夕食は、旬の素材を盛り込んだ会席膳を堪能。熊野本宮大社や発心門王子への無料送迎もあり、熊野古道歩きの拠点としてお勧めです。

- 0735-42-1185
- 和歌山県田辺市本宮町渡瀬 45-1
- 30 室
- 1 泊 2 食付・24,350 円～
- あり
- バス停渡瀬温泉下車、徒歩5分

めはり寿司

【郷土料理】

熊野を代表する素朴な郷土食

熊野地方の山仕事の弁当として作られていた大きなお寿司。その余りの大きさに「目はり口はり」してかぶりついたとことからその名が付きました。元来は、ご飯を握り塩漬けの高菜の葉で包んだだけの素朴な味でしたが、最近では具によって、色々変化に富んだ味を楽しむことができます。

熊野牛

【特産品】

和歌山県特産の高級和牛

熊野地方で昔から飼われていた和牛。その後、選び抜かれた血統を取り入れ、品種改良を繰り返し、和歌山県特産の高級和牛「熊野牛」が誕生しました。きれいな脂肪のさしが入ったきめ細やかで柔らかい肉質が特徴。特に焼くと味が香ばしく、肉のそのものの風味に優れています。

MAP 27P

うなぎ料理 鹿六 本宮店

丹念に焼き上げた国産鰻のランチを

選び抜いた国産鰻を、紀州備長炭で丁重に手焼きしています。羽釜で炊き上げたふっくらご飯と、創業以来継ぎ足しのタレを使用した鰻丼をご賞味あれ。

- 0735-38-8009
- 和歌山県田辺市本宮町本宮 251-1
- 11:00 ～ 14:00（土・日・祝～ 14:30）
- 休 月曜
- バス停本宮大社前下車すぐ

MAP 27P

茶房 珍重庵 本宮店

古道歩きの疲れを癒す熊野もうで餅

熊野本宮大社瑞鳳殿で、熊野もうで餅と抹茶のセット、十割そばやめはり寿司などこだわりの食事が楽しめます。熊野本宮大社詣でのお休みに最適です。

- 0735-42-1648
- 和歌山県田辺市本宮町本宮 195-3
- 9:00 ～ 16:00
- 休 水曜
- バス停本宮大社前下車すぐ

MAP 29P

喫茶 こぶち

新鮮な天然鮎が味わえる喫茶店

初夏から秋にかけて地元産の天然鮎が味わえます。「天然鮎定食」（1,800 円）や天然鮎塩焼き（2 尾・1,200 円）は特におすすめ。めはり寿司やうどんもあります。

- 0735-42-0432
- 和歌山県田辺市本宮町川湯 1
- 11:00 ～ 14:00・17:30 ～ 20:00
- 休 不定休
- バス停川湯温泉下車すぐ

コラム❶

"川の熊野古道"で川下り参拝を体験

熊野川上流の熊野本宮大社と
下流の熊野速玉大社を結ぶ約 90 分の船旅。
熊野の深山に囲まれ、
悠然と流れる熊野川を体感できる川の参詣路です。

その昔、熊野三山（熊野本宮大社、熊野速玉大社、熊野那智大社）を巡拝する人々は熊野本宮大社に詣でた後、川舟で熊野川を下り、新宮、那智をめざしました。

熊野川川舟下りは、本宮からではなく途中からとなりますが、語り部の解説に耳を傾け、道路からは見えない滝や奇岩などを見ながら、熊野速玉大社近くの権現河原まで、約 90 分の船旅となります。

おすすめは午前中の便での出発です。運が良ければ、川からの蒸気で霧がかかる神秘的な空間を体験できるかもしれません。

熊野川が熊野本宮大社から熊野速玉大社への参詣道として使われたのは、熊野本宮大社が中州にあったことや、熊野速玉大社の例大祭「御船祭」も熊野川で行われていることから、熊野川を下ること自体が信仰の対象となっていたとも考えられます。

❶熊野本宮大社
川の参詣路の出発点。ただし、川船センター乗り場は、熊野本宮大社から離れていますので注意が必要。出航時間の 30 分前までに集合します。

◉❶熊野本宮大社
START!
葵の滝
蛇和田滝
屏風畳折石
陰石
陽石
骨嶋
飛雪の滝
釣鐘石
❷昼嶋
熊野川
御守島
❸熊野速玉大社◉
GOAL!

熊野三千六百峰の山間を航く
ベテランの船頭さんと優しい語りの語り部の案内で、約 90 分の船旅を楽しみます。熊野川の両岸には、なびき石、陽石、比丘尼転び、昼嶋、釣鐘石、飛雪の滝、御船島など見どころ満載です。

霧の川の参詣路
運が良ければ川に霧がかかる神秘的な景色に出会えます。

❷昼嶋
熊野権現が休憩したという昼嶋。川の参詣路が盛んな昔、ここで船頭たちが昼食をとったといいます。条件が良ければ上陸できます。

◉熊野川川舟センター

☎ 0735-44-0987
住所／新宮市熊野川日足 350
交通／バス停日足下車すぐ
予約方法／電話あるいは FAX で前日までに予約（FAX：0735-44-0820）
料金／ 3900 円（語り部付き）
※最少催行人数／3 名（12～2 月は 6 名）
運行時間／定期乗合船 10:00（午前の部）、14:30（午後の部）
※ 30 分前までに集合、定期の他に貸切便もあり

くまのエクスペリエンス

熊野古道・熊野川を中心としてトレッキング・カヌーのガイディングと講習のサービス、などを行っている「くまのエクスペリエンス」。アクティブ派なら、熊野川や熊野灘のカヤック体験もおすすめです。

☎ 0735-42-0220
住所：田辺市本宮町本宮 159-1
交通：バス停本宮大社前下車、徒歩 1 分
予約方法：WEB サイトで 3 日前までに予約（http://www.kumano-experience.com/）

❸熊野速玉大社
川の参詣路の終着点。舟は熊野速玉大社近く、熊野灘河口の権現河原に着きます。

伊勢路（いせじ）を歩く

伊勢路のコース

コース<08>　有井駅～大泊駅（七里御浜）
コース<09>　尾鷲駅～相賀駅（馬越峠）
コース<10>　紀伊長島駅～梅ヶ谷駅（荷坂峠・ツヅラト峠）
コース<11>　伊勢市駅～内宮（伊勢神宮）

熊野速玉大社から紀伊半島の東側を伊勢神宮へと結ぶ道が、東熊野街道とも呼ばれる伊勢路です。ただし、全国有数の多雨地帯であり、西国一の難所と呼ばれた山道があるため、中世までは海路によることが多く、平清盛も海路を使っていました。
江戸初期には、中辺路の請川から現在の国道 168 号線を、志古から風伝峠を花の窟へと結ぶ「本宮道」も整備されて、これも伊勢路に組み込まれています。志古から熊野速玉大社へのルートも伊勢路に含むとする説もあります。急峻な道とあって、数メートルも掘り込んだ石畳道が多く作られ、木立の間から見える熊野灘の景色も素晴らしいものがあります。また猪垣と呼ばれる自然石の石垣も見られるのも特徴です。

伊勢路へのアクセス

熊野市・尾鷲・紀伊長島など紀勢本線の東側や高速バスでのアクセスのルートです。
終点の伊勢神宮は JR もありますが、近鉄が便利です。

◉熊野市駅へ

名古屋駅から、JR 特急南紀 [3 時間 16 分/4 〜 6 往復/6,450 円]

名鉄バスセンター (①のりば・名古屋駅前) から、三交南紀交通バス [3 時間 35 分/5 往復/3,700 円]

池袋駅東口から、西武観光バス・三重交通バス [9 時間 30 分/1 往復 (夜行) /11,800 円]
大宮駅・バスタ新宿 (新宿高速バスターミナル)・横浜駅 (YCAT) から乗車可。

◉有井駅へ

熊野市駅から、JR 紀勢本線 [3 分/200 円] (特急は通過、接続は要確認)

◉大泊駅へ

熊野市駅から、JR 紀勢本線 [3 分/150 円] (特急は通過、接続は要確認)
※名古屋方面からは1駅戻ることになるので、乗車券は要別途購入。

◉尾鷲駅へ

名古屋駅から、JR 特急南紀 [2 時間 41 分/4 〜 6 往復/5,680 円]

◉尾鷲市病院前へ (尾鷲駅から徒歩 10 分)

名鉄バスセンター (①のりば・名古屋駅前) から、三交南紀交通バス [3 時間 10 分/5 往復/3,200 円]

池袋駅東口から、西武観光バス・三重交通バス [8 時間 35 分/1 往復 (夜行) /11,200 円]
大宮駅・バスタ新宿 (新宿高速バスターミナル)・横浜駅 (YCAT) から乗車可。

◉相賀駅へ

名古屋駅から、JR 特急南紀で多気駅乗換え、普通 [3 時間 44 分/4 〜 6 往復/3.160 円]

◉紀伊長島駅へ

名古屋駅から、JR 特急南紀 [2 時間 18 分/往復/5,010 円]

◉紀北町紀伊長島・紀伊長島インター前 (紀伊長島駅から徒歩 20 分)

名鉄バスセンター (①のりば・名古屋駅前) から、三重交通バス [2 時間 30 分/5 往復/2,700 円]

池袋駅東口から、西武観光バス・三重交通バス [8 時間 15 分/1 往復 (夜行) /10,900 円]
大宮駅・バスタ新宿 (新宿高速バスターミナル)・横浜駅 (YCAT) から乗車可。

◉梅ヶ谷駅へ

名古屋駅から、JR 特急南紀で多気駅乗換え、普通 [3 時間/4 〜 6 往復/4,460 円]

◉伊勢市駅へ

大阪難波駅から、近鉄特急 [1 時間 51 分/毎時 1 往復/3,170 円。新型観光特急しまかぜは、1 日 1 往復 (特別料金 840 円・個室料金 1.050 円)]

近鉄名古屋駅から、近鉄特急 [1 時間 24 分/毎時 1 往復/2,810 円。新型観光特急しまかぜは、1 日 1 往復 (特別料金 840 円・個室料金 1.050 円)]

名古屋駅から、JR 快速みえ [1 時間 43 分/毎時 1 往復/1,980 円]

京都駅から、近鉄特急 [2 時間 4 分/4 往復/3,690 円円]

バスタ新宿 (新宿高速バスターミナル) から西武観光バス・三重交通バス・三交伊勢志摩交通バス [9 時間 5 分 (夜行便/11,300 円 (季節変動あり)]

※新宮駅・新宮市への交通は中辺路の項 (19 ページ) 参照

Kumano Kodo
Pilgrimage Routes

08 七里御浜から鬼ヶ城への浜街道

有井駅〜大泊駅

熊野市駅に隣接する前後の有井駅と大泊駅を結ぶ、熊野古道伊勢路人気第３位の初心者向けのルートです。古代からのパワースポットとして知られる世界遺産、**花の窟**（はなのいわや）がハイライトです。

有井駅から北東へ、国道に出る手前に、高さ約45ｍ巨大な岩で、それ自体が神社という**花の窟**があります。『日本書紀』の巻一にイザナミノミコトを葬った場所とされています。岩そのものが神社とされているため、社殿はありません。白石を敷き詰めた祭壇があるだけで、太古の自然崇拝の形を残す神社になっています。さらに国道を行くと獅子が熊野灘に向って吼えているように見える天然記念物の獅子岩が見えてきます。高さ約30メートルの岩で、口に見える部分が波に侵食されてできた見事な自然の造形です。神社の横が、**松本峠登り口**（南口）。七里御浜もここまでで、いよいよ山道となります。しかし大した坂でもなく、初心者向きのハイキングコースです。

頂上の**松本峠周辺**は竹林に囲まれていて、大きな地蔵が立てられています。下ってくると石畳の道になりますが、この部分は再現されたものだそうです。その石畳が終わるところが**松本峠登り口**（北口）です。**大泊駅**でゴールとなります。

①美しい御浜小石でできた七里御浜は、弓を描くように約25キロも続く日本でも珍しい砂礫海岸です。

②巨大な岩の**花の窟**は見上げると上のほうにも侵食跡が見られ、岩が隆起したことがわかります。

コースプランのヒント Hint!

有井、大泊の両駅ともに普通列車しか停車しません。歩行距離も短いので真ん中の熊野市駅から往復するのもひとつの方法ですが、有井駅の南西にある温泉リゾート「里創人 熊野倶楽部」に宿泊し、そこからスタートして歩くのもよいでしょう。

【コースプラン】

A 有井駅→【20分･1.5km】→ B 花の窟→【40分･1.7km】→ C 松本峠登り口(南口) →【20分･0.6km】→ D 松本峠→【20分･0.5km】→ E 松本峠登り口（北口）→【20分・0.7km】→ F 大泊駅

【歩行時間】 ２時間

【歩行距離】 4.5km

③海に向かって吼えるように見える獅子岩は、日本のスフィンクスとも呼ばれている奇岩です。

④**松本峠**からの眺望は、美しい七里御浜が一望できる、伊勢路有数の眺めとして人気のスポットです。

アクセス

① 有井駅へのアクセス

熊野市駅から、JR紀勢本線普通[3分/150円]
新宮駅から、JR紀勢本線普通[30分/420円]

② 大泊駅へのアクセス

熊野市駅から、JR紀勢本線普通[3分/150円]
熊野市駅から、熊野市自主運行バス[7分/200円]
新宮駅から、JR紀勢本線普通[40分/420円]

※三交南紀(バスターミナル)~熊野市駅~大泊~新鹿駅~二木島駅間の熊野市自主運行バスがあります。

コラム

花の窟のお綱かけ神事

2月2日と10月2日にもち米の藁束で作られた170メートルの大綱に、季節の花を結びつけ、岩と柱の間に渡す神事が行なわれています。綱は自然に切れるのを待つので、運がよいと2本見られます。

Kumano Kodo
Pilgrimage Routes

09 伊勢路のハイライト 馬越峠

尾鷲駅〜相賀駅

尾鷲駅から馬越峠を越えて相賀駅へという、伊勢路で最も人気のある見事な石畳の道が２キロも続く初心者向けのコースです。

特急バスやシャトルバスの尾鷲病院・お魚いちばおとと からのスタートなら、東へ尾鷲駅まで徒歩10分です。**尾鷲駅**から東へ直進し、観光物産協会のまちかどHOTセンター先で左折します。**北川橋**を渡ると、やや上り坂となり野口雨情歌碑などを見ながら歩を進めると**馬越公園**です。桜や萩の名所で、行者堂や滝の横に馬越不動尊があります。さらに登ると水呑地蔵とも呼ばれる桜地蔵尊があり、標高325メートルの**馬越峠**に着きます。尾鷲市街や八鬼山が一望できるスポットで、江戸時代の俳人可涼園桃乙の句碑があります。

ここから右手に急坂を20分ほど登るとスポットの天狗倉山頂です。ここから下り坂ですが、途中、馬越一里塚、夜泣き地蔵を過ぎたあたりに沢があり、すべりやすいので注意して下さい。その先が伊勢路で最も美しいといわれる石畳の道で、それが途切れると、**鷲毛バス停**です。国道42号線を東に行き、線路を越えたところが、**道の駅海山**です。国道を進み銚子橋を渡り左折すると**相賀駅**です。

①伊勢路で最も美しいといわれる、石畳の道が美しい**馬越峠**。ここが目的で超人気のコースになっています。

②シャトルバスの停留所になっている、「お魚いちばおとと」は名物のさんま寿司が人気です。

コースプランのヒント

コース自体は短いので、大曽根浦駅からスタートして熊野古道センターを見学してから尾鷲駅へと歩けばプラス１時間、鷲家バス停から歩いて種まき権兵衛の里を見学もプラス１時間という手もあります。

【コースプラン】

A 尾鷲駅→【20分・0.8km】→ **B** 北川橋→【20分・1.0km】→ **C** 馬越公園→【20分・0.7km】→ **D** 馬越峠→【50分・1.5km】→ **E** 鷲毛バス停→【10分・0.8km】→ **F** 道の駅海山→【30分・1.7km】→ **G** 相賀駅

【歩行時間】 **2時間30分**

【歩行距離】 **6.5km**

③ここもシャトルバスのりばになっている「**道の駅海山**」。高速バスの三交海山は東へ徒歩 10 分です。

④銚子川の対岸にある「種まき権兵衛の里」。ごんべが種まきゃ～♪の人物は実在していました。

アクセス

1) 尾鷲駅へのアクセス

名古屋駅から、JR特急南紀[2時間43分／5680 円]
松阪駅前から、三重交通南紀特急バス[3時間8分／2,310 円／尾鷲駅口からすぐ]

2) 尾鷲病院前へのアクセス

名鉄バスセンター（名古屋駅前）から、三重交通名古屋南紀高速バス[3時間34分／3,200円]
池袋駅東口から、西武観光バス・三重交通バス[8時間56分（夜行便／11,500円（季節変動あり））]

3) 相賀駅へのアクセス

尾鷲駅から、JR紀勢本線普通[7分／200円]
紀伊長島から、JR紀勢本線普通[21分／330円]

4) 4）海山バスセンターへのアクセス

名鉄バスセンター（名古屋駅前）から、三重交通名古屋南紀高速バス[3時間13分／3,200円]
池袋駅東口から、西武観光バス・三重交通バス[8時間39分（夜行便／11,500円]
大宮駅・バスタ新宿（新宿高速バスターミナル）・横浜駅（YCAT）から乗車可

コラム

三重県立熊野古道センター

熊野古道の魅力を、ハイビジョン映像や絵画などで展示している施設で（9：00 ～ 17：00）、温泉施設やレストランなども併設しています。大曽根浦駅から徒歩 10 分（路線バスもあり）です。

Kumano Kodo
Pilgrimage Routes

10 ツヅラト峠と荷坂峠 ふたつの古道歩きくらべ

紀伊長島駅～梅ヶ谷駅～紀伊長島駅

かつては伊勢と紀州を隔てる峠だったツヅラト峠と荷坂峠ですが、江戸中期までのルートがツヅラト峠で、以降は荷坂峠が、主に利用されてきました。

まずツヅラト峠経由は、**紀伊長島駅**から北西へ進み国道 42 号線を渡り、二郷神社を過ぎ、しばらく山道を行くと、**田山口バス停**で国道 422 号線に合流し、さらに 3 分ほど行くと志士川の橋に出ます。渡らずに川沿いの道へ入り、**花広場（登山口）前**からしばらく行くと元棚田の石垣で、ここからが山道です。石畳の急坂を登ると、**ツヅラト峠**です。栃古川沿いの道を下り、大山内川の合流点から県道に入り、**やまびこ広場**から真東に進めば**梅ヶ谷駅**です。

荷坂峠経由は、標高も 100 メートル以上低く、紀州藩が整備したとあって歩きやすくなっています。**紀伊長島駅**から北東へ、片上池沿いに進み、さんま寿司の実演販売が名物の**道の駅紀伊長島マンボウ**へ寄り、すぐ国道と別れ、片上川沿いの道を進みます。国道交差付近に**一里塚**があります。しばらく進むと道が 3 本に分かれますが、真ん中の道を登って行くと、**荷坂峠**です。このあたりは、ツツジが楽しめます。まもなく再度国道に合流します。梅ヶ谷川の橋を渡ると**梅ヶ谷駅**です。

①**ツヅラト峠**から見た景色。紀伊長島の町や、沖合いの野島やエスキ島などがくっきりと見えます。

②紀伊国の玄関口の**ツヅラト峠**には、観音像が出迎えてくれます。この道を守る会が整備しています。

コースプランのヒント Hint!

両コースを歩くのなら交通の便が良い紀伊長島駅からがおすすめ。このコースの宿は、古里温泉か有久寺温泉が近くて便利です。古里温泉は、紀伊長島駅から徒歩 1 時間 20 分、有久寺温泉は、志士川の橋から徒歩 40 分です。

【コースプラン】

A）A 紀伊長島駅→【50 分·2.0km】→ B 田山口バス停→【20 分·1.0km】→ C 花広場（登山口）→【40 分・2.0km】→ D ツヅラト峠→【60 分・2.1km】→ E やまびこ広場→【40 分・1.9km】→ F 梅ヶ谷駅

B）A 紀伊長島駅→【30 分・2.3km】→ G 道の駅紀伊長島マンボウ→【15 分・1.0km】→ H 一里塚→【60 分・3.1km】→ I 荷坂峠→【40 分・2.6km】→ F 梅ヶ谷駅

【歩行時間】 A）3時間30分 B）2時間30分

【歩行距離】 A）9.0km B）8.0km

③熊野灘を一望できる、**荷坂峠**一の絶景ポイントは数年前にボランティアの手により木を切って誕生しています。

④**道の駅紀伊長島マンボウ**では、その名の通りマンボウも食べられます。その味は美味と評判。

アクセス

① 紀伊長島駅へのアクセス

名古屋駅から、JR 特急南紀[2 時間16分／5,010円]
名鉄バスセンター（名古屋駅前）から三交交通名古屋南紀高速バス[2時間56分／2,700円・紀北町紀伊長島（紀伊長島インター）下車・徒歩18分]

② 梅ヶ谷駅へのアクセス

紀伊長島駅から、JR 紀勢本線普通[9分／200円]
尾鷲駅から、JR 紀勢本線普通[40分／580円]

コラム

大昌寺の天井絵

ツヅラト峠コースの志士川の橋から、徒歩約 1 時間の山間にある大昌寺の不動堂には、百人一首と古今集の和歌と歌人が描かれた 143 枚もの天井絵があります。（江戸時代後期）

Kumano Kodo
Pilgrimage Routes

11 遷宮で賑わう旧参宮街道を歩く

伊勢市駅～内宮

伊勢神宮の**外宮**から旧参宮街道を歩いて**内宮**へというコースで、全区間舗装道路です。空襲などの火災により、復元や移築が多いですが、江戸や明治の建物の雰囲気を楽しめます。

伊勢市駅から**外宮**への道は2つあって、灯籠の並ぶバスの走る大通りと、1本東の外宮参道です。みやげもの店や旅館の並ぶ外宮参道を歩いて行くと、突き当りが**外宮**です。火除橋を渡り、手水舎で手と口を清めてから奥へ進みましょう。参拝をすませたら、遷宮の資料を展示したせんぐう館も見ておきましょう。

外宮沿いに東へ進み、マリア保育園の前の道に入ります。この少しうねった道が旧参宮街道です。備前屋跡の石碑を右折して少し行くと大林寺です。江戸初期創建の浄土寺院です。5分ほど行くと左手が徳川秀忠の娘、千姫の菩提を弔う**寂照寺**です。すぐ先に伊勢古市参宮街道資料館があります。高速道路の上を越え、大通りに合流するとすぐ、伊勢の開拓神の猿田彦神社です。青果店の角をはいると赤福本店などがある**おはらい町**です。昔ながらの建物が再現されている人気スポットの、おかげ横丁があります。1キロの道を抜けると、**宇治橋**です。木造の橋を渡るといよいよ**内宮**です。

①伊勢の物資集積地として賑わった河崎の街並みです。伊勢湾から勢田川をさかのぼってきた船の集積基地でした。

②猿田彦神社は、古事記や日本書紀で伝えられる天孫降臨の際に、高千穂の峰に導いた神でもあります。

コースプランのヒント

十分に時間があるならコースに入る前に、伊勢市駅から北へ徒歩10分の河崎の町並みを見ておきましょう。かつて伊勢の台所として賑わった問屋街で、瀬田川沿いに元酒蔵の伊勢河崎商人館など、昔ながらの街並みが残っています。

【コースプラン】

A 伊勢市駅→【10分・0.5km】→ **B** 伊勢神宮外宮→【30分・1.8km】→ **C** 寂照寺→【30分·1.5km】→ **D** おはらい町→【10分·0.8km】→ **E** 宇治橋→【15分・0.7km】→ **F** 伊勢神宮内宮

【歩行時間】 **1時間35分**

【歩行距離】 **5.3km**

③旧参宮街道の終点部分の**おはらい町**は、1キロの間に食堂や海産物店、菓子店、ギャラリーなどが並び、活気に溢れています。

④おかげ横丁では、紙芝居や大道芸などのイベントが開催される日も多いので、下調べしておきましょう。

アクセス

① 伊勢市駅へのアクセス

名古屋駅から、JR 快速みえ[1時間43分/1,980円]
近鉄名古屋駅から、近鉄特急[1時間24分/2,810円]
大阪難波駅から、近鉄特急[1時間51分/3,170円]
京都駅から、近鉄特急[2時間4分/3,690円]
バスタ新宿(新宿高速バスターミナル)から、西武観光バス・三重交通バス・三交伊勢志摩交通バス[9時間5分(夜行便/11,300円(季節変動あり)]

② 内宮へのアクセス

伊勢市駅から、三重交通バス[19分/440 円・内宮前下車]
宇治山田駅から、三重交通バス[17分/440円・内宮前下車]

コラム

古市の遊里

寂照寺のあたりは、かつて江戸の吉原や京の島原と並ぶ遊郭があった場所です。内宮に詣でた後に、精進落しと称して男たちが遊んだ町でしたが、空襲でほとんどが失われ、現在は料理旅館となった麻吉に当時の面影を残すのみです。内部見学は宿泊しないとできませんが、5階建ての建物はぜひ見ておきたい貴重な遺構です。

伊勢神宮

深い森と静寂に包まれた日本人の総氏神にお参りしましょう

「お伊勢さん」の名で親しまれる伊勢神宮は、皇大神宮(内宮)と、豊受大神宮(外宮)、および別宮など125の神社の総称。参拝の順序は、先ず外宮にお参りしてから、内宮に参拝するのが古来の習わしとされます。

外宮には、衣食住をはじめ全ての産業の守護神として崇められる豊受大御神がお祀りされています。その歴史は、今から1500年前、雄略天皇が夢の中で天照大御神のお告げに従い丹波の国から、内宮に近い山田の原にお迎えしたことにはじまります。

内宮は、伊勢の宇治の五十鈴川上に鎮座されます。御祭神は、皇室の御祖先の神で、日本人の総氏神ともいわれる天照大御神です。天照大御神は代々宮中にお祀りされていましたが、その神威が高まるにつれ宮中での祭祀が困難となり、垂仁天皇の時代にその教えに従い、現在の地へお移りになりました。

そして、天武天皇・持統天皇の時代に大きな社が整備されます。これは、天武天皇が壬申の乱の折に、伊勢神宮に祈願したことにより勝利をおさめたことで篤い崇敬を受け、他の神社を超える地位を得たのです。20年に1度の大祭、神宮式年遷宮(2013年秋に行われた)もこの時代にはじまりました。内宮の境内は、深い森と静寂に包まれています。

外宮

豊受大神宮ともいい、衣食住をはじめとする産業の守護神・豊受大御神をお祀りしています。外宮の建物やお祭りはほとんど内宮と同じですが、屋根の千木や鰹木など細部に違いがあります。内宮との違いに注意しながら外宮を参拝するのもよいでしょう。

月夜見宮

外宮から徒歩 10 分、常緑の木々の生い茂った静かな神域の中に鎮座します。祭神の月夜見尊は、内宮の月読宮にお祀りされている天照大御神の弟神・月讀尊と同じ神様です。外宮の北御門から真っすぐ月夜見宮に至る道は、神様の通う道として今でも大切にされています。

境内と社域の見どころ

宇治橋

内宮の参道口にある長さ 101.8 メートル、幅 8.42 メートルの木造の和橋で、両側に神明鳥居があります。宇治橋は、神宮式年遷宮の 4 年前に架け替えられます。橋の両側の鳥居の高さは 7.44 メートルあります。宇治橋は「俗界と聖界の境にある橋」とされています。

五十鈴川

倭姫命が御裳の裾を濯いだという伝説があり、御裳濯川の異名を持ちます。古くから神聖で清浄な川とされ、多くの和歌に詠まれています。参拝の前に、内宮御手洗場で口と手を浄めるのが習わしとなっていて、それは現在でも続いています

プチコラム

春の神楽祭

内宮で開催される神恩に感謝を捧げ、国民の平和を願う行事。神苑の特設舞台では、神宮舞楽が一般公開される他、全国各地の名流名家によって献花式や吟詩舞などが奉納されます。

DATA

MAP	51P

住所	三重県伊勢市豊川町
電話	0596-24-1111
拝観料	境内無料
拝観時間	5:00 ～ 18:00 (5～8月は～19:00、10～12月は～17:00)
定休日	無休
交通	バス停内宮前から徒歩すぐ (内宮)、 伊勢市駅から徒歩 10 分 (外宮)

コラム❷

おかげ横丁とおはらい町

「お伊勢参り」の人々を温かく迎えてくれる門前町

日本の神々の最高位とされる天照大御神を祀る伊勢神宮。「伊勢にゆきたい、伊勢路がみたい、せめて一生に一度でも」と歌われ、長旅の労苦に厭わず多くの参拝客が訪れました。江戸時代の文政年間（1818 ～ 1829）には、日本人の 6 人に 1 人が伊勢参りを経験したほど、それは熱狂的なものでした。

遠路はるばる訪れる参拝客を伊勢の人々は温かく迎えました。おはらい町とおかげ横丁は、そんな伊勢の人々の「おかげさまの心」を今に伝える伊勢神宮の門前町です。

おかげ横丁は、江戸～明治の街並みと賑わいを再現。その昔、「お伊勢参り」の人々が体験したように、伊勢路の名物料理や名産品を扱うお店がをめぐることができます。

おかげ横丁
伊勢路名産
味の館
海老丸
57p
灯りの店
しろがね屋
御木本眞珠島店
2F はいからさん
つぼや
季節屋台
孫の屋三太
吉兆招福亭
おかげ座神話の館
志州ひらき屋
団五郎茶屋
57p
豚捨
銭屋
ぎょれん
宮忠
傳兵衛
若松屋
味匠館
太鼓櫓
山口誓子俳句館
神路屋
徳力富吉郎版画館
ふくすけ
56p
おみやげや
(総合案内)
フルーツラボ
横丁そば小西湖
伊勢醤油本舗
これよりおかげ横丁
晩酌屋
久兵衛
伊勢萬内宮前
酒造場
赤福別店舗
もめんや藍
伊勢路栽苑
浪曲茶屋
五十鈴川郵便局
祭主職舎
五十鈴塾
リトル・イタリイ
五十鈴川駅
鈴木水産
真珠SAKURA
藤屋窓月堂
百五銀行
おかげ横丁
虎屋ういろ
伊勢国産
魚春
翠
おはらい町通り
由里美容室
村田酒店
五十鈴塾
やきもの泰二郎
へんばや商店
山中薬局
赤福本店
56p
五十鈴茶屋本店
河西理容室
くつろぎや
覚田真珠
神宮道場
御師（浦田太夫）の門
宇治園
新橋
とうふや
てこね茶屋
浦田橋
五十鈴川
野遊びどころ
すし久
56p

てこね寿し

【郷土料理】

漁師が船上で食べた鰹めし

鰹や鮪などの赤身の魚を醤油ベースのタレに漬け込んだ後、寿司飯と合わせます。好みにより、大葉や生姜、海苔などを散らします。昔、志摩の漁師が漁の合間に食べた食事がもととされ、忙しい鰹漁の最中に獲れた鰹を醤油に漬け、炊きたてのご飯で食べたのがはじまりとされます。

伊勢うどん

【郷土料理】

黒く濃厚なタレが独特なうどん

伊勢市を中心に食べられるうどん。たまり醤油に鰹節やいりこ、昆布などの出汁を加えた、黒く濃厚なつゆ（タレ）を、柔らかくモチモチとした太い麺に絡めて食べます。具やトッピングが少なく、濃厚なタレで食べるのが特徴。江戸時代にお蔭参りの参詣客に提供したのがはじまりです。

伊勢路グルメ&ショッピング

MAP 55P

すし久

伊勢志摩の郷土料理が味わえる店

「てこね寿し」（1,380 円～）が味わえるお店。麦とろろ（1,940 円～）や国産うなぎを使ったひつまぶし（2,800 円～）もおすすめです。

- 0596-27-0229
- 三重県伊勢市宇治中之切町 20（おかげ横丁内）
- 11:00 ～ 17:00（L.O.16:30）季節により異なる
- 無休
- バス停神宮会館前下車、徒歩 3 分

MAP 55P

ふくすけ

おかげ横丁の伊勢うどん専門店

もっちりした食感の太麺と天然だしを使用した自家製ダレが自慢の伊勢うどんの専門店。ベーシックな伊勢うどん(560円)の他にも、「月見」（670 円）などバリエーションが豊富です。

- 0596-23-8807
- 三重県伊勢市宇治中之切町 52（おかげ横丁内）
- 10:00 ～ 17:00（L.O.16:30）季節により異なる
- 無休
- バス停神宮会館前下車、徒歩 3 分

MAP 55P

赤福本店

伊勢を代表する有名な餅菓子

伊勢名物の代表格「赤福」。創業は今から 300 年以上も昔の宝永 4 年。餡の三筋の模様は、神宮の神域を流れる五十鈴川の清流を表わしています。

- 0596-22-7000
- 三重県伊勢市宇治中之切町 26（おかげ横丁内）
- 5:00 ～ 17:00
- 無休
- バス停神宮会館前下車、徒歩 5 分

【特産品】

伊勢海老

伊勢の名を冠した高級エビ

熱帯域の浅い海に生息する大型のエビで、高級食材として扱われています。三重県では志摩半島を中心に漁獲されており、全国でナンバーワンのシェアを誇ります。三重県で直販事業を行う漁港は、エビの触角に「三重ブランド」シンボルマークの入ったタグを装着し、産地を明確にしています。

【郷土料理】

伊勢を代表する餅菓子

伊勢市の和菓子屋「赤福」が製造販売する餅菓子であんころ餅の一種。今では、伊勢を代表する名物となっています。餅を漉し餡で包んだもので、漉し餡には三つの筋が付き、五十鈴川の川の流れを表しているとされます。名は「赤心慶福」の言葉から二文字いただき、名付けたとされます。

MAP 55P

海老丸

旬の伊勢志摩の魚介が味わえる

伊勢志摩の新鮮な海の幸を使った漁師料理が味わえます。地魚・旬の魚介を中心に本日のおすすめの海の幸をのせた「本日の海鮮丼」(2,300円)がおすすめ。

- 0596-23-8805
- 三重県伊勢市宇治中之切町52（おかげ横丁内）
- 11:00～17:00（L.O.16:30）季節により異なる
- 無休
- バス停神宮会館前下車、徒歩2分

MAP 55P

豚捨 おかげ横丁店

美味しい伊勢肉を味わうならここ

本格的な牛肉料理が味わえるお店。取り扱うのは、松坂牛のルーツである伊勢肉。牛鍋(2,300円～)、すき焼き(8,000円～)が人気です。

- 0596-23-8803
- 三重県伊勢市宇治中之切町52（おかげ横丁内）
- 11:00～17:00(L.O.16:30・物販9:30～)
- 無休(時間は季節により異なる)
- バス停神宮会館前下車、徒歩2分

MAP 51P

喜多や

100年続く老舗のうなぎ屋

外宮にほど近いうなぎの老舗。こだわりのたれは、季節によって甘さ辛さを調節。うな重、うな丼(ともに並・2,200円～)とうれしい価格で味わえます。

- 0596-28-3064
- 三重県伊勢市本町10-13
- 11:00～16:00
- 木・水曜休
- 伊勢市駅下車、徒歩10分

MAP 49P

きいながしま古里温泉（三ツ又温泉）

お肌すべすべの美肌の湯

1996年4月開湯の日帰り温泉。源泉名は三ツ又温泉と言い、源泉温度 は34度とやや低めだが重曹成分がかなりあるため、ややぬめり感のあるお湯で、お肌がすべすべになると評判です。

- 0597-49-3080
- 三重県北牟婁郡紀北町古里816
- 10:00～21:00
- 520円（大人）
- あり
- バス停古里下車、徒歩5分

MAP 112P

阿曽湯の里（阿曽温泉）

心と体を癒すまろやかな泉質

豊かな緑の中にある旧阿曽小学校を利用した温泉施設の中にある日帰り温泉。毎分70 リットルが湧出する自噴の源泉からはまろやかな泉質の湯が沸き、日ごろの疲れを癒してくれると評判です。

- 0598-84-8080
- 三重県度会郡大紀町阿曽429
- 10:00～21:00
- 500円（中学生以上）
- あり
- 阿曽駅下車、徒歩15分

伊勢路の温泉と宿

MAP 29P

神宮会館（伊勢市）

伊勢神宮内宮に一番近い宿

神宮に参拝される方々の『参宮の宿』として多くの方々に親しまれる宿。本館・西館があり、部屋は洋室・和室と好みで選べます。毎朝6時30分より約1時間40分、宿泊者限定の内宮早朝参拝案内も行います。

- 0596-22-0001
- 三重県伊勢市宇治中之切町152
- 49室
- 1泊2食付・9,900円～
- なし
- バス停神宮会館前下車すぐ

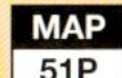

日の出旅館（伊勢市）

老舗旅館で癒しのひと時を

伊勢市駅 JR 側改札口より徒歩２分とアクセス良好な創業約 100 年の老舗旅館です。アットホームな雰囲気と風情を感じる建物で日頃の疲れを癒して、お伊勢参りが楽しめると評判です。

- 0596-28-2954
- 三重県伊勢市吹上 1-8-35
- 11 室
- 朝食付・8,500 円～
- なし
- 伊勢市駅下車、徒歩２分

伊勢路には大きな温泉街はありませんが、一軒宿などのひなびた温泉が点在していて、隠れた温泉スポット、つまり秘湯マニア御用達エリアとなっています。最近は近代的な施設も徐徐に増えてきていますが、多くが熊野灘の絶景が楽しめます。

伊勢の宿 山田館（伊勢市）

ノスタルジックな旅の風情に包まれて

伊勢市駅前外宮参道に位置し、およそ 100 年間にわたり外宮参道中央で愛され続ける宿。創業は大正期で戦火を逃れた木造三層楼はかつてここが日本三大旅館街であった名残を残しています。心づくしの料理も好評です。

- 電話番号・0596-28-2532
- 住所・三重県伊勢市本町 13-1
- 部屋数・21 室
- 料金・1 泊 2 朝食付・11,000 円～
- なし
- 伊勢市駅下車、徒歩２分

大辺路(おおへち)を歩く

大辺路のコース

コース<12>　臨海～三段壁（白浜）
コース<13>　紀伊富田駅～安居（富田坂）
コース<14>　安居～周参見駅（仏坂）
コース<15>　周参見駅～見老津駅（長井坂）
コース<16>　串本駅～古座駅（古座街道）

紀伊田辺の道分け石から、海岸沿いに那智の浜の宮王子までの道のりです。海路をとることが多かったため、中世にはほとんど利用されず、紀州藩主らが通行するために、江戸時代に整備されたルートです。
枯木灘などの、美しい海の景色が楽しめるものの、富田坂や仏坂、長井坂など四十八坂と呼ばれる峠を越える難路で、宿屋や茶屋も少なかったようです。国道 42 号線や紀勢本線の開通によって、古道の姿を消してしまった部分も多いものの、西国巡礼の経路としてや、熊野詣ででは、主に帰り道に利用されていました。中辺路にある王子はありませんが、司馬遼太郎など多くの文人に愛された道です。

大辺路へのアクセス

紀勢本線が便利なルートですが、普通電車しか停車しない駅へは、
特急停車駅からの路線バスが便利なこともあり、事前の下調べが必要です。

◉白浜駅へ
京都駅から、JR 特急くろしお [3 時間 8 分／1 往復／ 6,580 円]
新大阪駅から、JR 特急くろしお [2 時間 40 分／毎時 1 ～ 2 往復／ 5,700 円]

◉白浜バスセンターへ
JR 白浜駅から、明光バス [13 分／毎時 2 ～ 3 往復。380 円]
大阪駅 JR 高速バスターミナル（⑦のりば）から、西日本 JR バス・明光バス [3 時間 45 分／ 5 往復／ 3,000 円]
湊町バスターミナル（OCAT・JR 難波駅）から乗車可。
南紀白浜空港から、明光バス [15 分／ 5 往復／ 390 円]（航空便に連絡）
池袋駅東口から、明光バス・西武観光バス [11 時間 16 分／ 2 往復（夜行）／ 12,300 円]
大宮駅・バスタ新宿（新宿高速バスターミナル）・横浜駅（YCAT）から乗車可。

◉紀伊富田駅へ
新大阪駅から、白浜駅経由で、JR 特急くろしお [2 時間 41 分／毎時 1 往復／ 5,700 円] 白浜駅で普通電車に接続しないものがあります。時間により白浜駅から明光バスが利用できます。

◉周参見駅
新大阪駅から、JR 特急くろしお [2 時間 51 分／ 6 往復／ 6,250 円]

◉見老津駅
新大阪駅から、紀伊田辺駅経由で、JR 特急くろしお [3 時間 12 分／ 13 往復／ 6,030 円]

◉串本駅へ
京都駅から、白浜駅経由で、JR 特急くろしお [4 時間 10 分／ 1 往復／ 7,350 円]
新大阪駅から、JR 特急くろしお [3 時間 25 分／ 6 往復／ 6,580 円]

◉古座駅へ
京都駅から、白浜駅経由で、JR 特急くろしお [4 時間 27 分／ 1 往復／ 7,680 円]
新大阪駅から、JR 特急くろしお [3 時間 48 分／ 6 往復／ 6,580 円]

Kumano Kodo
Pilgrimage Routes

12 平安の昔からの湯めぐりリゾート白浜

臨海バス停〜三段壁

『日本書紀』などにも登場する白浜温泉は、熊野詣での貴族も入湯した日本三大古湯の一つです。

スタートの**臨海バス停**は、海に臨む地で、海中の様子が楽しめるグラスボートのりばがあります。沖には、門のような円月島が見えます。

西へ突き出した小さな半島の**番所崎**は、公園になっていて、京都大学水族館や南方熊楠記念館があり見所たっぷりです。

臨海バス停へ戻り、海沿いのバス通りを歩きます。瀬戸の浦バス停を過ぎるとすぐに、貝寺とも呼ばれる**本覚寺**があります。バスセンターの手前から海岸沿いに御船山の遊歩道に入ります。途中に、熊野三山を祀る**熊野三所神社**があり、ここから白良浜の海岸を歩きます。

浜が途切れたところでバス通りに戻ると、ほどなく、共同浴場**牟婁（むろ）の湯**があります。かつて天皇や貴族たちはこの付近で温泉に入ったとのことです。

しばらくバス通りを歩き、千畳口バス停から海岸に出ると、大きな砂岩の岩盤の**千畳敷**です。侵食により凸凹になっています。その南が**三段壁**で、約２キロ続く断崖です。南端に熊野水軍が船を隠した三段壁洞窟があり、エレベーターで内部に降りられます。

①正式名称は高島の円月島は、南北 65 メートル、東西 10 メートルの岩でできた無人島。

②この寺にちなんで命名された貝もある**本覚寺**で、貝の名は「ホンカクジヒガイ」です。

コースプランのヒント Hint!

路線バスは1000円の１日フリー券が便利です。アドベンチャーワールドの割引特典も付いているので、歩いたあとは、パンダで癒されてみてはいかが。宿泊は白浜温泉のほか、三段壁から直通バスがある椿温泉も便利です。

【コースプラン】

A 臨海バス停→【10 分・0.5km】→ B 番所崎→【10 分・0.5km】→ C 臨海バス停→【15 分･1.0km】→ D 本覚寺→【10 分･0.6km】→ E 熊野三所神社→【20 分・1.3km】→ F 牟婁の湯→【10 分・1.3km】→ G 千畳敷→【10 分・1.1km】→ H 三段壁

【歩行時間】 1時間25分

【歩行距離】 6.3km

③**熊野三所神社**は那智勝浦にもあり、ここは「くまのさんしょじんじゃ」勝浦は、「くまのさんしょおおみわやしろ」です。

④第三期の軟らかい砂岩が侵食されてできた、広大な岩盤の**千畳敷**。南紀の荒海が作る自然の造形美。

① **臨海バス停へのアクセス**

白浜駅から、明光バス［16分／340円］
白浜バスセンターから、明光バス［4分／150円］
南紀白浜空港から、明光バス［39分／700円］

② **三段壁へのアクセス**

白浜駅から、明光バス［22分／480円］
白浜バスセンターから、明光バス［9分／240円］
南紀白浜空港から、明光バス［36分／680円］

※白浜温泉内循環バスは逆回りに乗ると、所要時間・運賃ともかかるので要注意。

コラム

日本書紀と万葉の温泉「白浜」

『日本書紀』では「牟婁温湯」に有間皇子や中大兄皇子が訪れたとの記録があり、有間皇子はこの地で最期を迎えています。『万葉集』にも「牟婁の湯」「紀の温泉」として登場していて、徳川吉宗も訪れています。

Kumano Kodo
Pilgrimage Routes

13 山本軍と安宅軍の古戦場、富田坂

紀伊富田駅～安居バス停

大辺路に入って最初の難所が安居辻松峠への富田坂です。途中林道との錯綜がありますが標識をよく見て進めば、日置川畔のゴールにたどり着けます。

スタートの**紀伊富田駅**（きいとんだえき）は少しさびしい無人駅ですが、駅前の道をまっすぐ進み、観福寺の看板前を右へ進むと、**富田橋**です。国道42号線を右に行くとすぐにある左手に下る道へ進み、高瀬川を渡ると、石垣の上に建つ芦雪（ろせつ）寺とも呼ばれる**草堂寺**です。その石垣に沿って左に登ると林道となり、竹林の先に**一里松跡**があります。

名城とされた**馬谷城跡**（うまんたにじょう）を過ぎ、ゆるやかな登り坂を進むと、**林道終点**となり、いよいよ富田坂です。つづら折の急な登り坂が終わると展望が開け、白浜方面が見通せます。**峠の茶屋跡**からは、自然林のなかのなだらかなアップダウンが続く道です。

地蔵尊が立つ**安居辻松峠**（あごつじまつとうげ）は、頂上というより、尾根の交差するような地点です。**林道合流**から急な下りが続きます。三ヶ川に出たところが**祝の滝分岐**です。祝の滝へは往復30分ほどです。川沿いに下り、**三ヶ川梵字塔**、庚申塔を過ぎると**三ヶ川バス停**です。県道に合流し、日置川を右に見て進み、**安居小学校**を過ぎればゴールの**安居バス停**となります。

①境内が世界遺産になっている城のような立派な**草堂寺**の石垣の横の道を行くと、まもなく富田坂です。

②落差10メートルの祝の滝。祝という娘の婚礼に際して、化粧料として贈られたという故事から命名されました。

コースプランのヒント Hint!

白浜温泉や椿温泉で前宿するのが便利。三段壁～白浜バスセンター～白浜駅～椿温泉と走る明光バスが草堂寺の前にある高瀬バス停に止まるので、利用したいところです。どちらからも午前中2便あります。

【コースプラン】

A 紀伊富田駅→【10分・0.5km】→ B 富田橋→【20分・1.3km】→ C 草堂寺→【10分・0.3km】→ D 一里松跡→【1分・0.1km】→ E 馬谷城跡→【15分・1.0km】→ F 林道終点→【45分・2.5km】→ G 峠の茶屋跡（富田坂）→【5分・0.9km】→ H 安居辻松峠→【5分・0.2km】→ I 林道合流→【40分・2.3km】→ J 祝の滝分岐→【10分・0.6km】→ K 三ヶ川梵字塔→【35分・2.0km】→ L 三ヶ川バス停→【10分・0.6km】→ M 安居小学校→【5分・0.3km】→ N 安居バス停

【歩行時間】 **4時間35分**

【歩行距離】 **14.7km**

③**安居辻松峠**は、その名の通り松が植えられています。現在の松は山火事により昭和の新しい松です。

④かつては旧家の邸宅内にあったという**三ヶ川梵字塔**には、阿弥陀如来など十仏の梵字が刻まれています。

アクセス

① 紀伊富田駅へのアクセス

紀伊田辺駅から、JR紀勢本線普通［17分／240円］
白浜駅から、JR紀勢本線普通［3分／150円］

② 安居バス停へのアクセス

紀伊田辺駅から、紀伊日置駅へJR紀勢本線普通［30分／420円］
白浜駅から、紀伊日置駅へJR紀勢本線普通［16分／240円］
紀伊日置駅から、白浜コミュニティバス［10分／300円／日・祝運休／17:00発以外は要予約］
駅前に明光タクシー日置営業所あり

コラム

かくれた名城、馬谷城

高瀬要害山城とも呼ばれる馬谷城は、三方が急斜面の要害の地形を活かして造られた名城。竪堀と横堀の構成や二重堀切など、さすが安宅水軍と思わせる難攻不落の構造は、城マニアからも高く評価されています。

Kumano Kodo
Pilgrimage Routes

14 仏坂を越えて江戸の絵馬を見に行く

安居バス停～周参見駅

渡し船でスタートし、鬱蒼とした杉林の中の道を仏坂を越えると、コース後半は歩きやすい舗装道路です。**安居(あご)バス停**からバス通りを少し行って右折すると、**安居の渡し**に出ます。橋はないので、渡し船を利用しましょう。木造の和船で昔を偲べます。予約制なので必ず電話(☎0739-53-0194)をしておきましょう。運休の場合は、一つ手前の口ヶ谷でバスを降り、すぐの橋を渡ります。

船を降りるとすぐ急な登り坂となり、つづら折れの道を進むと一里塚の**桂松跡**です。すぐの**仏坂茶屋跡**を過ぎると、林道に合流します。だらだらと下ると下村バス停から県道となり、川沿いに下流へと進みます。入谷橋の前の分岐から**地主神社**に寄りましょう。社殿はなく、石の上に祠があります。

引き返して入谷橋を渡り、しばらく進むと右手に線路が寄り添う道となります。左手の階段を登ると**大師堂**です。堀切橋の先で県道と別れ、踏切を渡って線路の反対側の道を行くと**周参見(すさみ)王子神社**に出ます。隣接の歴史民俗資料館には、江戸時代の絵馬が展示されています。遠見橋を渡り、町内の道を行くと周参見氏の菩提寺**萬福寺**に着きます。駅裏を通り、踏切を渡り線路沿いに戻ると**周参見駅**です。

①半世紀ぶりに復活した**安居の渡し**は、乗船定員は6名で、前日までに予約が必要です。

②仏坂の名前の由来はよくわからないそうですが、越えると心が澄み渡って仏様にであったようになるとも。

コースプランのヒント Hint!

周参見駅から国道42号線を少し行けばすさみ温泉があり、露天風呂突き客室のあるホテルや、温泉民宿などがあり、新鮮な魚介も楽しめますので、ゴール後の宿泊にはもってこいです。その場合、遠見橋から線路を横切ればすぐに国道に出られます。

【コースプラン】

A 安居バス停→【5分·0.3km】→ B 安居の渡し→【5分·0.5km】→ C 桂松跡→【10分·0.5km】→ D 仏坂茶屋跡→【70分·4.3km】→ E 地主神社→【25分·1.4km】→ F 大師堂→【35分・2.1km】→ G 周参見王子神社→【15分・1.0km】→ H 萬福寺→【7分・0.5km】→ I 周参見駅

【歩行時間】 3時間10分

【歩行距離】 10.5km

③**地主神社**といえば、京都の清水寺境内の縁結びの神社が有名ですが、こちらは社殿のない神社です。

④京都宇治の名刹と同名ですが、この**萬福寺**は、京都の妙心寺の末寺の臨済宗寺院で、本尊は阿弥陀仏です。

アクセス

① 安居バス停へのアクセス

紀伊田辺駅から、紀伊日置駅へJR紀勢本線普通[30分／420円]
白浜駅から、紀伊日置駅へJR紀勢本線普通[16分／240円]
紀伊日置駅から、白浜コミュニティバス[10分／300円／日・祝運休／17:00発以外は要予約]
駅前に明光タクシー日置営業所あり

② 周参見駅へのアクセス

京都駅から、JR特急くろしお[3時間31分／7,020円]
新大阪駅から、JR特急くろしお[2時間51分／6,250円]
白浜駅から、JR紀勢本線普通[24分／420円]

※京都始発のくろしお号は白浜止まりです。そこからは普通に乗り換えて下さい。また、京都駅から新大阪駅まで新快速を利用すると、新大阪始発のくろしお号が利用でき、時間の短縮が図れます。

コラム

周参見王子神社と絵馬

江戸末から明治にかけて周参見王子神社に奉納された絵馬の多くが、船絵馬と呼ばれるもので、航海安全を祈願したものです。当時、周参見の港は浪速と江戸を結ぶ航路の中継地として栄えていました。

Kumano Kodo
Pilgrimage Routes

15 枯木灘と棚田を望む長井坂

周参見駅〜見老津駅

周参見駅から、雄大な枯木灘を望みながら歩ける大辺路最大の絶景の、ハイキングコースです。**周参見駅**から東へ、下地踏切前を右折し県道に合流し、すぐの国道をしばらく歩き、**馬転坂入口**から生コン工場横の階段を登ります。ここから、しばらく登りとなります。展望の良い場所から下り坂となり、国道とJRの線路の間のフェンスのある道を進むと**西浜入口**です。左折して登り坂を線路沿いの道を行くとタオの峠です。少し下ってだらだらとした登りの道を行き、中屋跡を過ぎると程なく**和深川王子神社**です。鬱蒼とした鎮守の森を持つ江戸初期創建の神社です。

長井坂西登り口から和深川を渡ると山道の急な登り坂となり、見返り展望台の先に**道の駅への分岐**があります。右折すると道の駅イノブータンランド・すさみへ出ます。

なだらかなウバメガシの自然林のなかの尾根道を行くと、段築という、土を盛って土手にした構造の道が続きます。沖の黒島や陸の黒島の浮かぶ枯木灘を一望できるポイントがいくつかあります。

県道に合流するとすぐ**茶屋の壇**です。県道と別かれるとすべりやすい急な下り坂となり、踏切を渡って国道に出ると、ほどなく**見老津駅**です。

①馬も転ぶほどの難路だったという、**馬転坂**からは、枯木灘の雄大な海を望むことができます。

②室町以前の懸仏三体がご神体とされていて、文化財として大変貴重な**和深川王子神社**です。

コースプランのヒント

Hint!

見老津駅から国道42号線をさらに歩いて20分行くと、日本童謡の園公園があり、そこに世界で唯一の「エビとカニの水族館」（無休）が18時まで開館している（冬季は17時）ので、おすすめのスポットです。

【コースプラン】

A 周参見駅→【15分・1.0km】→ **B** 馬転坂入口→【30分・1.7km】→ **C** 西浜入口→【40分・2.5km】→ **D** 和深川王子神社→【15分・0.8km】→ **E** 長井坂西登り口→【20分・0.7km】→ **F** 道の駅への分岐→【45分・2.5km】→ **G** 茶屋の壇→【25分・1.3km】→ **H** 見老津駅

【歩行時間】 **3時間10分**

【歩行距離】 **10.5km**

③峠付近は平坦な**長井坂**ですが、長柄坂とも呼ばれ、「猪垣」と呼ばれる石垣も見ることができます。

④見老津駅の先にある「エビとカニの水族館」では、世界一重いカニや世界一大きなカニが見られます。

アクセス

① 周参見駅へのアクセス

京都駅から、JR特急くろしお[3時間31分／7,020円]
新大阪駅から、JR特急くろしお[2時間51分／6,250円]
白浜駅から、JR紀勢本線普通[24分／420円]

※京都始発のくろしお号は白浜止まりです。そこからは普通に乗り換えて下さい。また、京都駅から新大阪駅まで新快速を利用すると、新大阪始発のくろしお号が利用でき、時間の短縮が図れます。

② 見老津駅へのアクセス

周参見駅から、JR紀勢本線普通[9分／200円]
白浜駅から、JR紀勢本線普通[34分／590円]

※見老津駅へは特急くろしおは停車しません。

コラム

枯木灘海岸

白浜から紀伊有田までの約70キロの海岸線は、枯木灘海岸と呼ばれています。強い潮風のため、海岸沿いの木が枯れることからの命名とされていますが、黒島などは亜熱帯の植物が茂っています。

Kumano Kodo
Pilgrimage Routes

16 橋杭岩と海賊の故郷 古座街道

串本駅〜古座駅

大辺路の中では最もアップダウンが少なく、本州最南端の雄大な大海原を楽しめるコースです。

本州最南端の駅である**串本駅**から右へ、宮川の橋の手前を右折し、川に沿って進みます。突き当たりを左へ、すぐの道を右折すると**無量寺**です。境内に、重要文化財の虎図など円山応挙と長沢芦雪(ながさわろせつ)の絵画を展示する、串本応挙芦雪館があります。さらに串本小学校沿いにぎざぎざに町内の道を進み、海沿いの国道42号線に出ます。**潮浜橋**を渡り、右手に線路をくぐるところからがいよいよ熊野古道です。

䦰(くじ)の川沿いの道で、古道といっても生活道路として舗装されていて、この区間は世界遺産指定から外れています。アップダウンもなく、歩きやすい道です。硲ノ元橋(はざまのもとばし)を渡ると左手に**䦰の川辻地蔵**があります。線路を越えると国道42号線と合流し、その右手に**地蔵道標**があります。国道を少し歩き、**紀伊姫駅前**への道に入り熊野灘を眺めながら歩ける道となります。

伊串橋を渡ると、再び国道42号線に合流し、シーハウスサブマリンの手前で、左手の細い路地に入ります。このあたりには、無人売店が並んでいます。踏切を過ぎるとすぐ左手が、**原町の御堂**です。JA支店前を左折すると**古座駅**です。

①臨済宗東福寺派の**無量寺**は、江戸宝永地震の大津波で流失しましたが、愚海和尚によって再建されました。

②ゆったり流れる䦰の川沿いの道を歩きますが、日本最多の雨量の紀伊半島ですから氾濫もあるそうです。

コースプランのヒント Hint!

䦰の川辻地蔵で古道をはずれて右折すると15分で国道42号線、海の前に出ます。そこで左折して国道を行くとすぐに橋杭岩の駐車場に出ます。40余りの奇岩が700メートル続く光景は大地震の産物で名勝・天然記念物です。

【コースプラン】

A 串本駅→【15分・0.9km】→ **B** 無量寺→【25分・1.5km】→ **C** 潮浜橋→【40分・2.4km】→ **D** 䦰の川辻地蔵→【15分・1.0km】→ **E** 地蔵道標→【5分・0.3km】→ **F** 紀伊姫駅→【45分・2.9km】→ **G** 原町の御堂→【10分・0.7km】→ **H** 古座駅

【歩行時間】 **2時間35分**

【歩行距離】 **9.8km**

③最近屋根が取り付けられた、**鬮の川辻地蔵**ですが、「くじ」の字は難読漢字、読めましたか？

④ここまできたらぜひ見ておきたい橋杭岩は、弘法大師が並べたという伝説が残されています。

アクセス 

1 串本駅へのアクセス

京都駅から、JR 特急くろしお［4時間10分／7,350円］
新大阪駅から、JR 特急くろしお［3時間40分／6,580円］
見老津駅から、JR 紀勢本線普通［31分／420円］

※京都始発のくろしお号は白浜止まりです。そこからは普通に乗り換えて下さい。また、京都駅から新大阪駅まで新快速を利用すると、新大阪始発のくろしお号が利用でき、時間の短縮が図れます。

2 古座駅へのアクセス

京都駅から、JR 特急くろしお［4時間27分／7,680円］
新大阪駅から、JR 特急くろしお［3時間48分／6,580円］
串本駅から、JR 紀勢本線普通［9分／200円］
串本駅から、串本町コミュニティバス［15分／200円］

※京都始発のくろしお号は白浜止まりです。そこからは普通に乗り換えて下さい。また、京都駅から新大阪駅まで新快速を利用すると、新大阪始発のくろしお号が利用でき、時間の短縮が図れます。

コラム

弘法湯

橋杭岩の駐車場からすぐにある弘法湯は、弘法大師が病を治し、人々を救ったという伝説が残る湯で、紀伊大島の浮かぶ海を見ながら入浴でき、古道歩きの疲れを癒してくれます。

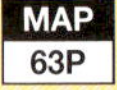

オーベルジュ サウステラス（白浜温泉）

五感で味わうフレンチを堪能

1日10組限定。優雅なプライベート空間で癒しのひと時を過ごせるオーベルジュ。山海の幸に恵まれた地元食材を使用したこだわりの料理。源泉かけ流しの温泉で日常の慌ただしさを忘れて、贅沢な時間を楽しみましょう。

- 0739-42-4555
- 和歌山県西牟婁郡白浜町 2998-10
- 10室 ※受付時間 8：30 〜 18：00
- 1泊2食付・24,200円〜
- あり
- 白浜駅下車、タクシー 20分

大辺路の温泉と宿

SHIRAHAMA KEY TERRACE HOTEL SEAMORE（白浜温泉）

インフィニティ足湯無料開放、パブリック施設が充実

1階ロビーは海からの光が差し込む広々とした空間。部屋は和室、洋室、和洋室と用途に応じて選ぶことができます。特に各フロアにある角部屋のスイートルームはインナーテラスもあり、白浜の海をたっぷりと感じられると好評です。

- 0739-43-1000
- 和歌山県西牟婁郡白浜町 1821
- 160室
- 1泊2食付・15,400円〜
- あり
- バス停新湯崎下車すぐ

MAP 112P 海椿葉山（椿温泉）

丁重な料理と絶景自慢の宿

南紀州の海に向き合う岸壁に立つ宿。宿への道中には南紀州の青い海が一面に広がり訪れる人の目を奪います。岸壁の先端に設けられたお風呂からは雄大な太平洋が一望。館内は熊野で育った木材を使用し快い滞在が約束されます。

- 0739-46-0909
- 和歌山県西牟婁郡白浜町椿 1063-20
- 6 室
- 1 泊 2 食付・27,650 円～
- あり
- 椿駅から無料送迎あり

白浜温泉をはじめ、大辺路には著名な温泉郷が点在しています。昔の熊野詣でも、皇族も庶民もこうした温泉に浸かりながら歩き続けた記録があります。現在は、温泉はしご三昧の間に、熊野古道を歩く本末転倒の楽しみ方もできます。

MAP 112P 海鮮居酒屋の宿 若竹（椿温泉）

新鮮な魚介を食べたいならここで

海鮮居酒屋から始まった宿。美味しい新鮮な海の幸を、時間を気にせずゆっくり楽しんでいただきたいという思いでオープンしました。海の食材を料理に活かす術を知る当館の大将がつくる南紀の海の幸を心ゆくまで楽しみましょう。

- 0739-46-0716
- 和歌山県西牟婁郡白浜町椿 1062-8
- 3 室
- 1 泊 2 食付・8.800 円～
- あり
- 椿駅下車、徒歩 10 分

さんま寿司

【郷土料理】

忘れられない故郷の味覚

秋から冬にかけて三陸沖から熊野灘に下るうちに脂肪が抜けたサンマをカシラをつけたまま開き、ダイダイ酢でしめ、すし飯を抱かせた姿ずしです。独特の風味は、故郷の忘れられない味として今も親しまれています。佐藤春夫は、さんま寿司をこよなく愛し「秋刀魚の歌」を残しています。

くじら料理

【郷土料理】

太古から伝えられてきた食文化

太地では昔から伝えられてきた鯨の食文化の保護などのため、政府が資源調査に基づいて決めた漁期と捕獲枠のなかでゴンドウクジラを捕っています。その鯨の肉が入荷するため、南紀では美味しい鯨肉の料理が味わえます。低カロリーで低脂肪、そして美味しいと三拍子揃った貴重な食です。

大辺路グルメ&ショッピング

MAP 63P

伊瀬海老・活魚料理　珊瑚礁

新鮮な海の幸を心行くまで満喫

南紀白浜のシンボル円月島を眼前に、白浜近海で獲れた本場紀州の活伊勢海老をはじめクエ・石鯛などの新鮮な活きた海の幸が味わえる。

- 0739-42-4357
- 和歌山県西牟婁郡白浜町 500-1
- 11:00 ～ 19:30（L.O.19:00）
- 休 水曜日
- バス停臨海下車すぐ

MAP 63P

いけす円座

巨大ないけすを囲んだカウンター

ホテルシーモアにある食事処。店内中央には大きないけすがあり、地元漁港で獲れたばかりの魚が泳ぐ。和食御膳とクエ料理も人気があります。

- 0739-33-9090
- 和歌山県西牟婁郡白浜町 1821
- 11:30 ～ 14:30（L.O.14:00）・17:30 ～ 21:30（L.O.21:00）
- 休 なし
- バス停新湯崎下車すぐ

MAP 63P

すし八咫

海際の特等席で美味しい鮨を

いけす円座にある鮨処。大きな窓に広がる海景を望みながら寿司コースが楽しめます。職人がお客のペースに合わせて寿司を提供してくれます。

- 0739-33-9090
- 和歌山県西牟婁郡白浜町 1821
- 11:30 ～ 14:30（L.O.14:00）・17:30 ～ 21:30（L.O.21:00）
- 休 なし
- バス停新湯崎下車すぐ

もちかつお

【特産品】

脂肪分の少ないあっさりとした味

紀伊半島沖で春先に獲れるかつおは、北海へ北上する前のかつおです。まだ身に脂肪分が少ないため、弾力があり、まるでつき立ての餅のような食感から、「もちかつお」という名で呼ばれています。さっぱりとした味わいは、いくらでも食べれると地元紀州の魚好きの人に愛される味覚です。

うつぼ料理

【特産品】

滋養強壮やお肌に良いうつぼ

和歌山県南部では古くから食され、滋養強壮に良いといわれているうつぼ。うつぼの皮にはコラーゲンが約20%と、たくさん含まれていることが分かり、お肌によい食材として女性にも人気が出ています。見た目は怖いウツボですが、その身はとても淡白で、薄造りや唐揚げなどが人気です。

MAP 63P

ナギサビアダイニングシラハマバーリィ

味わい深いビールとシェフ自慢の料理

ナギサビール直営店。中辺路町在住のドイツ人シンドラーさんのベーコンなど白浜近郊で手に入る食材で作った田舎風ピザなどをビールとともに。

- 0739-43-7373
- 和歌山県西牟婁郡白浜町 2927-557
- 11:00～15:00（L.O.14:30）･17:00～21:0（L.O.20:30）
- 休 水曜
- バス停南千畳下車すぐ

MAP 112P

とれとれ市場

新鮮魚介の食事もお土産もここで決まり

堅田漁港直営の海鮮市場。地元でとれる新鮮な魚介を用いた丼・寿司などの海鮮グルメの他、紀州名産南高梅などの特産品が豊富に揃います。

- 0739-42-1010
- 和歌山県西牟婁郡白浜町堅田 2521
- 8:30 ～ 18:30
- 休 不定休
- バス停とれとれ市場前下車すぐ

MAP 63P

長久酒場

白浜を代表する大衆酒場

創業 50 年、地元の人々に愛されるづける酒場。地元鮮魚店や漁師から直接仕入れる新鮮魚介が自慢。刺身や煮物などお好みで味わえます。

- 0739-42-2486
- 和歌山県西牟婁郡白浜町 3079-6
- 16:00 ～ 23:00
- 休 木曜
- バス停走り湯下車すぐ

紀伊路（きいじ）を歩く

紀伊路のコース

コース< 17 >海南駅～紀伊宮原駅（藤白坂）
コース< 18 >紀伊宮原駅～湯浅駅（糸我峠）
コース< 19 >紀伊内原駅～西御坊駅（道成寺）

平安時代に上皇や法皇が利用した、大阪市の窪津王子（現在の天満橋駅付近で、坐摩神社行宮がある）から、紀伊田辺の道分け石までの道。大阪から和歌山までは、江戸時代に紀州街道と呼ばれるようになり、和歌山以南は熊野街道と呼ばれていました。あわせて西熊野街道とも小栗街道とも呼ばれます。

大阪の起点が窪津王子なのは、近くに京都からの船が着く八軒屋船着場があったからで、京都と大阪の間は陸路の京街道よりも、淀川の川舟が主に利用されていました。大阪の窪津王子から、ほぼ海岸沿いの道で、峠など部分的に古道が残されていて、紀伊田辺の撫養王子まで 70 以上もの王子が設けられています。

紀伊路へのアクセス

紀勢本線沿いのルートで、毎時１～２本の特急と普通がありアクセス良好です。

◉海南駅へ
京都駅から、JR 特急くろしお［1 時間 48 分／1 往復／4,260 円］
新大阪駅から、JR 特急くろしお［1 時間 12 分／毎時1往復／3,040 円］

◉紀伊宮原駅へ
京都駅から、箕島駅へ JR 特急くろしお［2 時間／1 往復／普通に乗り換え 5 分／4,590 円］
新大阪駅から、箕島駅へ JR 特急くろしお［1 時間 37 分／毎時 1 往復／普通に乗り換え 5 分／3,930 円］

◉湯浅駅へ
京都駅から、JR 特急くろしお［2 時間 11 分／1 往復／4,930 円］
新大阪駅から、JR 特急くろしお［1 時間 43 分／11 往復／3,930 円］

◉西御坊駅へ
京都駅から、御坊駅まで JR 特急くろしお［2 時間 25 分／1 往復／5,370 円］
新大阪駅から、御坊駅まで JR 特急くろしお［1 時間 57 分／毎時 1 往復／4,260 円］
※御坊駅から、紀州鉄道に乗り換え［8 分／180 円］

Kumano Kodo
Pilgrimage Routes

17 みかんの里 藤白坂と拝の峠

海南駅〜紀伊宮原駅

紀伊路最初の難所である藤白坂から、２つの険しい峠越えのルートで、往時の熊野詣でを十分に感じられるコースです。例年５月中旬には沿道はみかんの花の見頃となります。

海南駅から国道370号線を南へ、山田川の手前で左折して道標に従い蓬莱橋を渡ります。線路を渡るとすぐ**熊野一の鳥居跡**で右折、ここから熊野古道に入ります。左手に道標があり、左折してすぐにあるのが**祓戸**（はらいど）**王子**です。

道標へ戻りちょうちんの並ぶ道を行くと**鈴木屋敷**です。鈴木姓の発祥の地とされています。すぐに五体王子のひとつ**藤代王子**のある藤白神社です。桜の名所であり、熊野路唯一の本地仏を祀っています。

万葉歌碑のある、この地で殺害された**有間皇子の墓**を過ぎると登りとなり、いよいよ藤白坂です。約２キロ続く坂道には、一丁（約109メートル）ごとに丁石地蔵が祀られています。14番地蔵の先が**筆捨松**です。このあたりから右手に和歌浦や淡路島が見えます。

18番地蔵を過ぎると**塔下王子**（とうげおうじ）です。ここから細い道の下り坂です。県道166号線合流手前の地蔵尊の前を右に入ると**橘本王子**（きつもとおうじ）です。

①同じ名前の王子が田辺市にもある**祓戸王子**ですが、ここには明治初期には社殿があったそうです。

②全国に２番目に多い姓の「鈴木」のルーツがこの**鈴木屋敷**です。鈴木氏は熊野信仰を広めた神官一族でした。

コースプランのヒント Hint!

新大阪からの特急くろしお１号で海南駅９時頃のスタートとなり、峠をひとつ越えて一壺王子で昼食をとり、16時ころ紀伊宮原駅に着いたら、タクシーで５分、余力があれば徒歩40分の有田川温泉で、疲れを癒すのもいいでしょう。

【コースプラン】

A 海南駅→【15分·1.0km】→ B 熊野一の鳥居跡→【5分·0.5km】→ C 祓戸王子→【15分·0.8km】→ D 鈴木屋敷→【2分·0.1km】→ E 藤代王子→【3分·0.2km】→ F 有間皇子の墓→【30分·1.2km】→ G 筆捨松→【10分·0.4km】→ H 塔下王子→【25分·1.5km】→ I 橘本王子→【15分·0.7km】→ J 所坂王子→【20分·1.2km】→ K 一壺王子→【15分·1.0km】→ L 沓掛登り口→【45分·1.3km】→ M 拝ノ峠頂上→【15分·0.8km】→ N 蕪坂塔下王子→【20分·1.1km】→ O 爪書地蔵→【15分·0.7km】→ P 山口王子→【5分·0.3km】→ Q 伏原の墓→【30分·1.9km】→ R 紀伊宮原駅

【歩行時間】	4時間45分
【歩行距離】	14.4km

③**有間皇子の墓**。孝徳天皇の皇子だった、有間皇子は蘇我赤兄らの謀略によって、この地で殺害されました。

④ぜんそくやガンに効くパワースポットとして、最近注目されている太刀の宮は合格祈願でも人気です。

⑤一丁ごとにお地蔵様を祀り、道中の安全を見守るという道は、ここ熊野のほか、四国の巡礼道にもあります。

橘本土橋を渡り、平坦な道をいくと**所坂王子**です。**所坂王子**には、ミカンの神様として知られる橘本神社があり、境内にみかんの先祖とされる橘の木があります。なだらかな登りの市坪川沿いの道を進み、市坪児童会館の手前左手に自動販売機がありますが、給水できる最後のポイントです。

川の合流点を過ぎて、右手に山路王子神社が見えたらそこが**一壺王子**（山路王子）です。土俵があり、子供の健やかな成長を願う泣き相撲が行なわれています。ここは、王子社の原型をとどめる王子です。

沓掛登り口から農道と別れ、民家の間の急坂を登ります。ふたたび農道と合流、登り坂がきつくなります。一旦平坦な道になりますが、すぐ急な登り坂となります。標高300メートルほどまで登ると**拝**

コラム

和歌を競った藤代王子

楠の茂る藤代王子社には、御歌塚があります。これは建仁元（1201）年に後鳥羽上皇が熊野詣での際にこの先の湯浅で宿泊し、和歌の会を催した記録があり、その歌を献納しています。

⑥神武天皇東征の折に、ここを通られたことから命名されたと伝えられる**拝ノ峠**は、蕪坂峠とも呼ばれます。

⑦下津港を見下ろせる**蕪坂塔下王子**（かぶらざかとうげ）は、明治末まで社殿がありましたが、現在は跡地すらわかりません。

ノ峠頂上です。ここから右手の道を行くと長保寺を経て下津駅へ出ます。この道も熊野古道の脇道とされ、下津港から海路を行くのに使われていました。まだ登りがあり、いくつか右への分岐道がありますが直進します。

蕪坂塔下王子（かぶらざかとうげおうじ）がコースのサミットとなります。左手にみかん畑の石垣があり、右手に大坂夏の陣で敗れ、敗走中の宮崎定直が名剣の霊験で難を逃れたという伝説が残る太刀の宮の先で、急な下り坂となり、県道 164 号線を横切るとすぐ**爪書地蔵**（つめかきじぞう）が現れます。爪書の名の由来は、弘法大師が爪で岩に彫り付けたとの伝説が残る地蔵で、洗った米を供えると病気が治るといわれています。この先農道と交錯して道が分りにくいので、道標を見て注意して進みましょう。

山口王子からはだらだらとした下りの道です。道標の先、墓石のごろごろした**伏原の墓**からはほぼ平坦な道となり、みかん農園の横を過ぎて、橘踏切で紀勢本線を横切ってすぐ右折し、線路沿いに少し歩くと**紀伊宮原駅**です。

⑧**爪書地蔵**は、春は桜の名所、秋は紅葉の名所としてこのコースの人気撮影スポットになっています。

⑨同名の王子は大阪府県境にもありますが、こちらの**山口王子**は、休憩スポットとして整備されています。

1 海南駅へのアクセス

京都駅から、JR特急くろしお［1時間48分／4,260円］
新大阪駅から、JR特急くろしお［1時間12分／3,040円］
和歌山駅から、JR紀勢本線普通［13分／240円］
※京都駅から新大阪駅まで新快速を利用すると、新大阪始発のくろしお号が利用でき、時間の短縮が図れます。

2 紀伊宮原駅へのアクセス

和歌山駅から、JR紀勢本線普通［34分／510円］
（駅前にみなみ交通タクシーの営業所あり。TEL:0737-88-7204）

コラム

今も昔も重要な港、下津

熊野古道から見下ろすと見える下津は現在、大型のLNGタンカーが接岸し、関西のエルギーを支えています。熊野詣の海路の中継地点としても使われてきましたが、江戸へ紀伊国屋文左衛門が紀州みかんを運んだ起点でもありました。実は江戸庶民を喜ばせただけでなく、帰りの荷物で上方の庶民をも喜ばせました。

Kumano Kodo
Pilgrimage Routes

18 糸我峠を越えて醤油発祥の湯浅へ

紀伊宮原駅～湯浅駅

糸我峠越えをして、醤油の町湯浅へのルートですが、峠以外はほぼ平坦の初心者向きコースです。

紀伊宮原駅から左へ、県道164号線のT字路へ出たら右折し、国道480号線を横断し、**宮原の渡し場跡**のすぐ下流側にある宮原橋を渡ります。有田川沿いの道を上流側に進み、国道42号線を横断するとすぐ、中将姫伝説ゆかりの**得生寺**です。

一里塚の先が、日本最古の稲荷社といわれる**糸我稲荷神社**です。西側すぐに、くまの古道歴史民俗資料館があります。**糸我王子**を過ぎて、**糸我の道標**までくると、真東に雲雀山が見えます。すぐに急な登り坂になりますが、まだ舗装道路です。展望のよい分岐に差しかかると地道になり、竹薮の中の急な登りを過ぎると**糸我峠**です。

急な下り坂を下りると夜泣き松があり、ふたたび急な下り坂となり、坂の下が**逆川王子**です。逆川に架かる巡礼橋を渡り、少し登ると**方津戸峠**です。

付近は倒木による通行止めがあり、迂回路を進みます。法務局前を右折し、体育館前から山田川沿いの道となります。**北栄橋**を渡ると、昔ながらの町並みとなります。**立石の道町道標**を過ぎると、まもなく古道の古来の道と近世の道の分岐となり、JRのガードの手前を左折すると**湯浅駅**です。

①**宮原の渡し場跡**。有田川はかつて暴れ川として恐れられ、増水して川止めとなることもあったといいます。

②中将姫の作と伝わる蓮糸縫三尊や紺地金泥三部経、中将姫坐像の安置されている**得生寺**。

Hint!

コースプランのヒント

短いコースですが、ゴールの湯浅の町は、醤油発祥の町。現在も昔ながらの伝統的な製造方法を守っている店も多く、その建物もまた伝統的な建造物であったりして見所十分です。

【コースプラン】

A 紀伊宮原駅→【10分・0.6km】→ B 宮原の渡し場跡→【15分・1.1km】→ C 得生寺→【4分・0.2km】→ D 糸我稲荷神社→【7分・0.4km】→ E 糸我王子→【3分・0.2km】→ F 糸我の道標→【20分・0.8km】→ G 糸我峠→【20分・1.1km】→ H 逆川王子→【10分・0.6km】→ I 方津戸峠→【20分・1.2km】→ J 北栄橋→【7分・0.4km】→ K 立石の道町道標→【6分・0.4km】→ L 湯浅駅

【歩行時間】 **2時間**

【歩行距離】 **7.0km**

③江戸時代の資料によれば、京都の伏見稲荷より60年も前に創建されたとある、**糸我稲荷神社**。

④明治初年までは社殿もあった**糸我王子**。現在は「いとが」だが、古くは「いのが」の記述もあります。

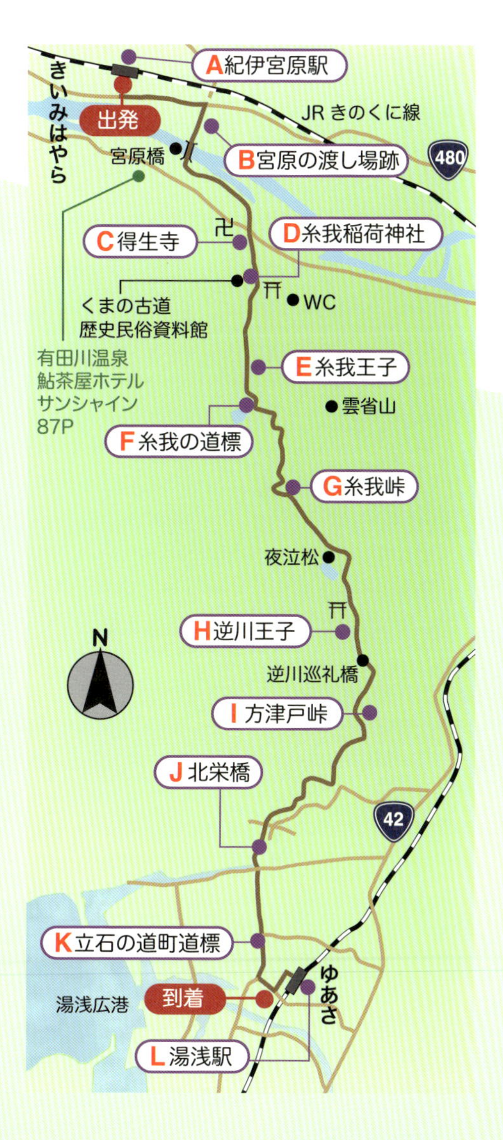

アクセス

① 紀伊宮原駅へのアクセス

和歌山駅から、JR紀勢本線普通［34分／510円］

（駅前にみなみ交通タクシーの営業所あり。TEL:0737-88-7204）

② 湯浅駅へのアクセス

京都駅から、JR特急くろしお［2時間11分／4,930円］

新大阪駅から、JR特急くろしお［1時間43分／3,930円］

和歌山駅から、JR紀勢本線普通［42分／680円］

※特急くろしおは湯浅駅に停車しない列車があります。

※京都駅から新大阪駅まで新快速を利用すると、新大阪始発のくろしお号が利用でき、時間の短縮が図れます。

コラム

くまの古道歴史民俗資料館

壁画や絵巻物で800年前の古道の様子を知ることができます。有田市内の史跡や、民具の紹介もあり、休憩スポットとしても無料でうれしいところです。（水曜木曜休館、開館9：30～17：00）

Kumano Kodo
Pilgrimage Routes

19 道成寺と美人絵馬 西日本一のミニ鉄道へ

紀伊内原駅〜西御坊駅

大蛇に変身した清姫と、日本のシンデレラといわれる絶世の美女であった宮古姫、そして天照大御神と３人の女性の足跡をたどる歴史ロマンコースです。

紀伊内原駅からしばらく麦畑ののどかな舗装道路を進むと、富安社の産土神、**善童子王子**（ぜんどうじおうじ）です。さらに民家の間の細い道を抜け、竹林の中を進むと、右手に石碑だけの**愛徳山王子**があります。吉田八幡神社の先を左折し、古道をそれて東へ進み、石段を登ると安珍清姫の話で知られる**道成寺**です。古道に戻り、八幡山公園を過ぎると**海士王子**（あまおうじ）があります。川沿いを進み、宮古姫生誕の里の碑の先を左折して線路を越えるとまもなく左手が**湯川子安神社**です。日高川を**野口新橋**で渡ったら右折して川沿いの道を進みます。県道を横断するとすぐが**岩内王子**（いわうちおうじ）です。その先が、美人王子とも呼ばれる**塩屋王子**です。御神体が天照大御神の美人像で、美人の子を授かるといわれ、安産祈願の人が多く訪れています。

古道は王子川を渡って南へ続きますが北へ向い、国道 42 号線に合流して、**天田橋南詰**から日高川を渡ります。**天田橋北詰**からすぐ廃止された駅のホームの上に家が建つ光景が見られます。廃線沿いの道を行くと小さな駅である**西御坊駅**です。

①ミカン畑の中の**愛徳山王子**は、市指定史跡で、明治末期に近くの吉田八幡神社に合祀されています。

②**海士王子**。かつては「桑間王子」で、「九海女王子」さらに「海女王子」となったようで、海女伝説の影響のようです。

コースプランのヒント Hint!

最後に短い距離で知られる紀州鉄道のかわいらしいレールバスに乗るのが、ポイントですが、その前に西御坊駅周辺の散策もしてみたいものです。御坊の地名の由来の日高別院や明治から大正にかけての古い街並みも大変貴重です。

【コースプラン】

A 紀伊内原駅→【40 分・2.5km】→ B 善童子王子→【15 分・1.0km】→ C 愛徳山王子→【15 分・1.0km】→ D 道成寺→【15 分・0.9km】→ E 海士王子→【15 分・0.9km】→ F 湯川子安神社→【25 分・1.6km】→ G 野口新橋→【25 分・1.0km】→ H 岩内王子→【20 分・1.2km】→ I 河南中学校→【25 分・1.4km】→ J 塩屋王子→【20 分・1.2km】→ K 天田橋南詰→【4 分・0.3km】→ L 天田橋北詰→【15 分・1.0km】→ M 西御坊駅

【歩行時間】 **3 時間 55 分**

【歩行距離】 **14.9km**

③美人王子とも呼ばれる**塩屋王子**は、藤原為房の熊野参詣記に、この地に宿泊した記録があります。

④バスの部品も使って組み立てられている、レールバスが走る紀州鉄道。昔は御坊臨海鉄道と呼ばれていました。

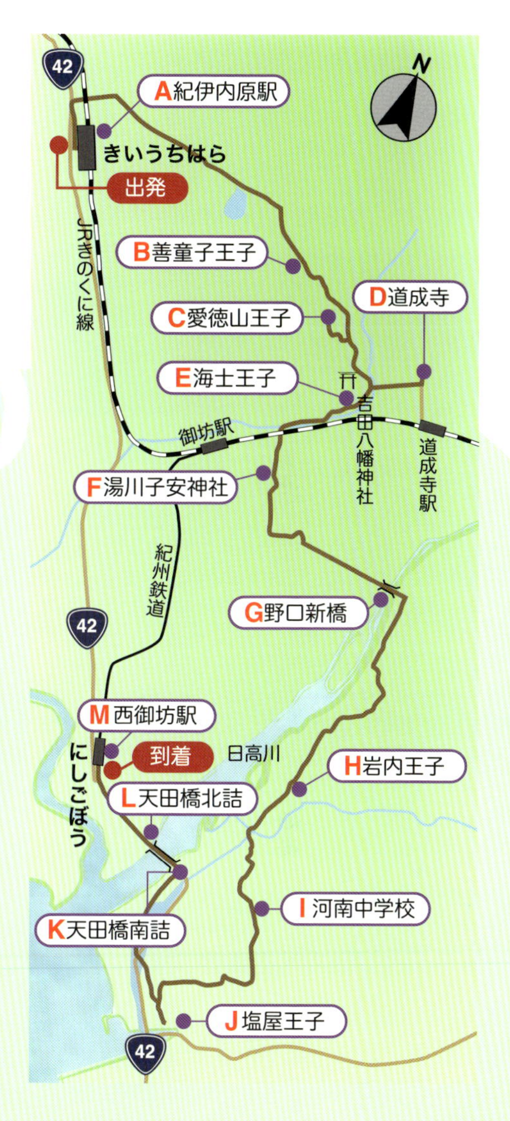

アクセス

① **紀伊内原駅へのアクセス**

和歌山駅から、JR紀勢本線普通[57分／990円]

※紀伊内原駅は特急･快速は全て停車しません。

② **西御坊駅へのアクセス**

京都駅から、御坊駅までJR特急くろしお[2時間25分／5,370円]
新大阪駅から、御坊駅までJR特急くろしお[1時間57分／4,260円]
和歌山駅から、御坊駅までJR紀勢本線普通[1時間5分／990円]

※西御坊駅には、御坊駅から紀州鉄道に乗り換えて下さい[8分／180円]

※京都駅から新大阪駅まで新快速を利用すると、新大阪始発のくろしお号が利用でき、時間の短縮が図れます。

コラム

海士から皇族になった宮古姫

「かみなが姫」とも呼ばれた宮古姫は、熊野古道沿いの八幡山で生まれ、その美しさから藤原不比等の養女となり、さらには文武天皇の后となって、聖武天皇の母となります。入水自殺しようとした母親の渚が海中から拾い上げた黄金の観音像を祀るために、道成寺が建立されたと伝えられています。

MAP 113P 湯浅温泉 湯浅城（湯浅温泉）

歴史を感じるお城に泊まって温泉を満喫

全国でも珍しいお城の形をした温泉宿で、歴史を感じながら過ごす。天守閣からは湯浅の町を一望。天然温泉の大浴場でのんびり寛いだ後は、新鮮な海や山の幸を、湯浅醤油や金山寺味噌で調味した会席料理が楽しめます。

- 0730-63-6688
- 和歌山県有田郡湯浅町大字青木 75
- 30 室
- 1 泊 2 食付・9,500 円～
- あり
- 湯浅駅下車、車で 5 分

紀伊路の温泉と宿

MAP 113P 鶴の湯温泉（南部町）

心地よい川のせせらぎに癒される

江戸時代から湯治場として近郷の人々に親しまれてきた湯宿で、静かな山間の温泉情緒を感じながら滞在できます。白浜からも近く、夏には海水浴のベースとしても最適。旬の素材を大切に、丁重に調理を行う料理も評判です。

- 0739-75-2180
- 和歌山県日高郡みなべ町熊瀬川 47
- 12 室
- 1 泊 2 食付・8.730 円～
- あり
- 南部駅下車、車で 20 分

MAP 113P 料理宿 朝日楼（南部町）

老舗料理屋の味覚を堪能

100年を超える料理屋が開いた温泉宿。お肌がスベスベになるということから女性に絶大な人気を誇る温泉で、お部屋のお風呂にも天然温泉を引いています。自慢は、地元の海の幸を贅沢に使用した料理で、新鮮な魚介が並びます。

- 0739-72-5000
- 和歌山県日高郡南部町梅香丘1589-2
- 25室
- 1泊2食付・8.800円～
- あり
- 南部駅下車、徒歩20分

和歌山県の温泉といえば白浜など大辺路が代表的ですが、紀伊路にも多くの温泉が点在しています。このエリアには、大規模な温泉地こそありませんが、一軒から数軒の宿や立ち寄り湯があり、古道歩きの疲れを癒してくれます。

MAP 83P 有田川温泉 鮎茶屋 ホテルサンシャイン（有田市）

多彩な浴槽が揃う美肌の湯

日帰り温泉「光の湯」をはじめ別館の宿泊施設「ホテルサンシャイン」、食事処などが揃う温泉施設。光の湯は肌触りの良い良質な泉質で、美肌の湯として知られます。源泉を超高温蒸気化したミストサウナも好評です。

- 0737-88-5151
- 和歌山県有田市星尾37
- 26室
- 日帰り入浴・750円～
- あり
- 紀伊宮原駅下車、徒歩30分

【特産品】

とろけるような梅干

南高梅

みなべ町で生まれた南高梅のルーツは明治35年に高田貞楠が植えた「高田梅」とされます。この「高田梅」を母樹として紀州の南部川村で増やされた品種が南高梅で、全国的に知られる梅の最優良品種です。果肉がたっぷりで柔らかいのが特徴。梅干にすると、とろけるような食感になります。

【特産品】

750年もの歴史をもつお味噌

金山寺味噌

鎌倉時代に日本に伝わり湯浅で作られたといわれるお味噌。一般の味噌のように調味料として使うのではなく、ご飯のおかずやお酒の肴に食べます。元々はお坊さんが考え出した夏野菜を冬に食べるための保存食で、白瓜、丸茄子、シソ、生姜などの入った栄養満点、風味満点の味噌です。

MAP 113P

湯浅醤油

伝統に培われた本物の醤油

伝統をかたくなに守り、100年以上の歴史を持つ木樽で仕込む濃い紫色の醤油で知られます。醤油造りがみられる工場見学も可能です。（要予約）

- 0737-63-2267
- 和歌山県有田郡湯浅町湯浅1464
- 9:00～17:50
- 休 年末年始
- 湯浅駅下車、徒歩10分

MAP 113P

かどや食堂

名物のしらすを味わうならここで

湯浅名物のしらすを心行くまで味わえる食事どころ。なめらかな舌触りと独特の風味の「生しらす丼」（1,100円）、「釜揚げしらす丼」（720円）がおすすめ。

- 0737-62-2667
- 和歌山県有田郡湯浅町湯浅1109-1
- 11:00～14:00・17:00～21:00
- 休 水・日曜の夜
- 湯浅駅下車すぐ

MAP 113P

北町茶屋 いっぷく

町並みに溶け込んだ古民家カフェ

古民家を改装したカフェ。抹茶ぜんざいやパフェ・ケーキを味わいながら店内に置かれた小説や絵本を眺めながらゆったり・のんびり過ごしてみましょう。

- 0737-62-3300
- 和歌山県有田郡湯浅町湯浅23
- 11:00～18:00
- 休 月曜
- 湯浅駅下車、徒歩12分

紀三井寺

西国三十三所第二番札所として信仰を集める観音霊場

奈良時代の終わりの宝亀元年(770)に、唐の僧為光上人により開創されたと伝わる古い歴史を持つお寺です。

上人はたまたまこの地に至り、千手観音様の尊像をご感得になりました。

そして自ら十一面観世音菩薩像を、一刀三札のもとに刻み、一宇を建立して安置、これが紀三井寺の起源とされます。その後も、歴代天皇、さらに江戸時代には紀州徳川家歴代藩主が頻繁に来山し、大いに栄えました。今も西国三十三所第二番札所として多くの人の信仰を集めています。

境内と寺域の見どころ

大千手十一面観音像

総丈12メートル、重さ20トンを超える日本最大の大千手十一面観音像が仏殿に安置され、公開されています。大観音像拝観は無料ですが、3階展望回廊に登る際は別途100円が必要です。

楼門

三間一戸・入母屋造・本瓦葺きの門で国の重要文化財に指定されています。この門は室町時代の建立以来、度々の修理を受け、今は桃山時代の様式を残します。門内には金剛力士像が安置されます。

鐘楼

安土桃山時代の建立。入母屋造・本瓦葺き・袴腰の建物で、六角堂の横に建ちます。全体に軽快な印象を与える建造物で、全国の鐘楼建造物中の白眉とされていて、国の重要文化財に指定されています。

プチコラム **三井水**

紀三井寺の寺名のもととなったとされる「清浄水」「楊柳水」「吉祥水」の3つの泉が境内に湧き出ます。紀三井寺の三井水として名水百選に定められています。

DATA

住所	和歌山県和歌山市紀三井寺
電話	073-444-1002
拝観料	一般400円(ケーブル料200円)
拝観時間	8:00～17:00(大観音像拝観とケーブル利用は8:30～16:30)
定休日	無休
交通	紀三井寺駅下車、徒歩5分

小辺路（こへち）を歩く

小辺路のコース

コース<20>　八木尾～蕨尾口（果無峠）
コース<21>　極楽橋～奥ノ院（高野山）
コース<22>　九度山駅～上古沢駅（町石道）

熊野本宮大社から、果無峠を越えて十津川温泉へ、さらに標高 1344 メートルの伯母子岳を越えて野迫川村大股、北股から県境を越えて和歌山県大滝、そしてようやく高野山金剛峰寺という、1000 メートル超の峠をいくつも越える山道です。普通の地図を見れば、道路の表示のない区間だらけで、ハイキングではなく、登山装備が必要です。
近世になって、距離が最短であることから、日程のとれない、または旅費のとぼしい庶民が命がけで歩いた道です。ハイキング装備で歩ける区間は、果無峠と野迫川村内の集落間くらいしかなく、野迫川村内は交通の便がきわめて悪く不便です。（高野山町石道については 102 ページに紹介しました）

小辺路へのアクセス

近鉄大阪線の大和八木駅から JR 五条駅経由で本宮・新宮駅へのバスは日本最長の路線バスで、便数が少ないので要注意です。高野山へは南海電車が大阪難波からと便利です。

◉八木尾へのアクセス
新宮駅から、奈良交通バス [1 時間 32 分／毎時 3 往復／ 1,830 円]
近鉄大和八木駅から、奈良交通バス [5 時間／ 2 往復／ 3800 円]

◉蕨尾口のアクセス
新宮駅から、奈良交通バス [2 時間 7 分／ 3 往復／ 2,050 円]
近鉄大和八木駅から、奈良交通バス [4 時間 3 4分／ 2 往復／ 3,500 円]

◉極楽橋駅へ
南海難波駅から、特急こうや号 [1 時間 24 分／ 4 ～ 6 往復／ 1,680 円]

◉九度山駅へ
南海難波駅から、南海電鉄急行 [1 時間 9 分／毎時 2 往復／ 810 円]

◉上古沢駅へ
南海難波駅から、南海電鉄急行 [1 時間 20 分／毎時 2 往復／ 840 円]
※特急こうや号は九度山駅、上古沢駅には停車しないので橋本駅で急行に乗り換え（橋本駅までの特急料金 520 円）。

◉奥ノ院へ
南海難波駅から、南海電鉄特急こうや号極楽橋駅へ。南海電鉄高野山ケーブル乗り換え[1 時間 45 分／ 2,600 円]
高野山駅から、南海りんかんバス [16 分／毎時 2 ～ 4 往復／ 420 円]
京都駅から、南海りんかいバス [2 時間 45 分／ 2,600 円（予約制）]

Kumano Kodo
Pilgrimage Routes

20 県境の峠道 はてなしの道

八木尾バス停～蕨尾口バス停

熊野本宮大社から高野山への小辺路の最初の峠である、石畳の残る果無峠（はてなしとうげ）越えのややハードなコースで、三十三体の観音石仏が道案内となります。

八木尾バス停からすぐに地道となって、すぐに1番石仏があり、少し登って2番石仏の先で**林道出合**となります。眼下に八木尾の集落が見えます。4番石仏の先に木の階段があり、きつい登りとなります。土手の上の6・7・8番石仏を見ながら登ると、県境の集落である七色への**七色分岐**となります。11番石仏を過ぎると右手に**三十丁石**があり、ここから滑りやすい要注意区間です。丸石の二十丁石、14番石仏を過ぎると急な登りとなります。広場となっている花折茶屋跡を過ぎると再び急な登りとなります。登り切ると広場になっている標高1114メートルの**果無峠**で、17番石仏があります。急な下りの階段を下りると、**観音堂**があり、さらに階段が続きます。尾根道を進み、山口茶屋跡を過ぎると石畳の道となります。30番石仏から**果無集落**に入ります。

十丁石から急な下りの石畳道となり、登山口道標まで下りてくると舗装道路に出ます。国道168号線に合流し、**柳本橋**を渡ると**蕨尾口バス停**で、そのすぐ先に「わらびお公衆浴場」があります。

①**果無峠**へ木立の中の登り坂です。このコースの石畳は少しで、このような景色が続きます。

②**三十丁石**付近から本宮町を望む景色です。ところどころから見える新宮川はこのあたりでは十津川と呼ばれます。

コースプランのヒント Hint!

前日は熊野本宮温泉郷に宿泊してスタート、ゴールの蕨尾は十津川温泉の入口ですから、温泉はしごと古道歩きの両方を楽しむ絶好のコースです。31番から33番の石仏を見たかったら十丁石の手前で右折します。

【コースプラン】

A 八木尾バス停→【7分・0.3km】→ B 林道出合→【35分・1.9km】→ C 七色分岐→【15分・0.7km】→ D 三十丁石→【45分・2.5km】→ E 果無峠→【25分・1.1km】→ F 観音堂→【50分・2.5km】→ G 果無集落→【30分・1.6km】→ H 柳本橋→【7分・0.3km】→ I 蕨尾口バス停

【歩行時間】 **3時間45分**

【歩行距離】 **10.9km**

③日本の里百選にも選ばれた、**果無集落**の間を抜ける道を行くとまもなくゴールとなります。

④十津川温泉郷は、二津野ダム湖畔の静かな温泉で、川を渡る人力ロープウエイの野猿も体験できます。

① 八木尾へのアクセス

新宮駅から、奈良交通バス[1時間32分／1,830円]
近鉄大和八木駅から、奈良交通バス[5時間10分／3,850円]
十津川温泉から奈良交通バス・十津川村営バス[27分／680円]

② 蕨尾バス停へのアクセス

新宮駅から、奈良交通バス[2時間7分／2,050円]
本宮大社前から、十津川村村営バス[36分／860円]
近鉄大和八木駅から、奈良交通バス[4時間34分／3,500円]
十津川温泉から奈良交通バス・十津川村営バス[1分／160円]

コラム

三十三観音石仏

十津川・新宮・本宮の有志が大正末期に寄進したという石仏は、西国の観音様を模して造られたもので、全て違った表情で見守ってくれています。たとえば 7 番は岡寺の如意輪観音、21 番は穴太寺の本尊等身聖観音、22 番は総持寺の千手千眼観音などです。花山法皇が、西国三十三観音霊場を開いた故事にちなんでいます。

MAP 113P 湯乃谷千慶（十津川温泉郷　湯泉地温泉）

プライベート感あふれる大人の宿

山峡の自然にひっそりと佇む全室源泉かけ流し露天と内風呂付き離れの宿。吉野杉や檜の芳しい香りに包まれながら、プライベートな空間で上質な大人の時間が過ごせます。源泉の湯泉地温泉は560年の歴史を誇る名湯です。

- 0746-62-0888
- 奈良県吉野郡十津川村武蔵 714-2
- 9室
- 1泊2食付・44,000円～
- あり
- バス停十津川村役場下車、無料送迎あり

小辺路の温泉と宿

紀伊半島の尾根にあたる山間部の小辺路には、ひなびた一軒宿の秘湯の温泉が点在しています。なかでも十津川温泉は、最大の温泉街で、近くの上湯温泉、湯泉地温泉とともに十津川温泉郷を形成しています。

MAP 93P ゑびす荘（十津川温泉）

身体に優しい宿で癒しの時間を

源泉かけ流しの温泉と地元十津川産の野菜や食材を用いて、体の外側と中側からお客の身体と心の再生を促すことをコンセプトに掲げる温泉宿。自慢の料理は旨味調味料を一切使わない素材の味を活かした身体に優しい味を提供します。

- 0746-64-0019
- 奈良県吉野郡十津川村平谷 425-1
- 6室
- 1泊2食付・11.500円～
- あり
- バス停十津川温泉下車、徒歩5分

【郷土料理】

ぼたん鍋

十津川の山の恵みに満ちた猪肉

猪の肉を牡丹（ボタン）の花のように盛り付けた鍋料理で十津川の旅館などで味わえます。十津川の山でドングリなどを食べて育った猪は臭みもなく、煮込むと柔らかく、山里を代表する冬のジビエ料理です。新鮮な冬野菜、十津川産のこんにゃくやお豆腐などが入ったぼたん鍋は体の芯から温まります。

【特産品】

あまご・あゆ

春から夏にかけての川魚

サケ科の川魚で小判形のパールマークと呼ばれる斑紋があり、上下に鮮麗な朱赤点が散在し、その美しさから「渓流の女王」と呼ばれるあまご。また、「香魚」と呼ばれさわやかな香りと味わいが格別な鮎。特に天然物はスイカのような香りがします。水が清らかな十津川ではあまごと鮎を満喫できます。

小辺路グルメ&ショッピング

Gourmet & Shopping #2

MAP 113P

そば処 風庵

風味豊かなそばと地元食材の一品を

地元でも観光客にも人気の自家製粉石臼挽が自慢のそば店。コシ・風味が強いそばに十津川産しめじの炊き込みご飯などが付く定食がおすすめ。

- 0746-68-0700
- 奈良県吉野郡十津川村上野地 345-13
- 11:00 ～ 16:00(土・日・祝～ 18:00)
- 休 水曜
- バス停月谷口下車すぐ

MAP 93P

ドライブイン 長谷川

景色も味覚も楽しめるドライブイン

二津野ダムの景色を楽しめるドライブイン。地元で採れる山菜がたっぷりの山菜釜めしは、オーダーが入ってから炊き上げる人気メニューです。

- 0746-64-0028
- 奈良県吉野郡十津川村平谷 643-7
- 11:30 ～ 14:00
- 休 不定休
- バス停十津川温泉下車、徒歩 3 分

MAP 93P

Café ピット

野鳥が訪れる自然豊かなカフェ

ヤマガラ・メジロなどの野鳥がテラスにやってきます。そんな野鳥たちと豊かな自然を眺めながら味わいたいのが名物のオムライス。カフェメニューも充実です。

- 0746-64-0425
- 奈良県吉野郡十津川村平谷 56-1
- 9:30 ～ 19:00
- 休 不定休
- バス停豆市下車すぐ

Kumano Kodo Pilgrimage Routes

高野山と金剛峯寺

弘法大師空海の開いた聖地をお参りしましょう

高野山は、海抜約1,000mの盆地に、真言宗の総本山・金剛峯寺を中心に117の塔頭寺院が集まる信仰の町です。

全国の高野山真言宗3,600ヶ寺の総本山が金剛峯寺です。天承元年(1131)には覺鑁(かくばん)上人が鳥羽上皇の勅許を得て小伝法院を建立、後に豊臣秀吉が母の菩提を弔うため、木食応其(もくじきおうご)上人に命じて建立され、青巌寺と名乗りました。金剛峯寺という寺名に改めたのは明治に入ってからです。

高野山では、「一山境内地」を称し、総本山金剛峯寺をして高野山全体を指します。簡単にいえば高野山全体がひとつのお寺ということです。

高野山には2つの重要な聖地があります。ひとつは檀上伽藍と呼ばれる場所で、金剛峯寺の本堂とされる金堂や大塔、御影堂などが建ち並びます。

弘法大師・空海が曼荼羅の思想に基づいて創建した密教伽藍の総称で、ここで主な宗教行事が執り行われます。

そして、もうひとつの聖地で、高野山でも特別な浄域が奥之院です。ここには、空海の御廟と灯籠堂があり、入定した空海が今でも衆生を救い続けているとされています。鬱蒼とした杉の大木に覆われた参道には、皇室をはじめ、公家、大名などの墓が並び、その数は20万基以上はあるといわれています。

大門

高野山の入口に建つ一山の総門で、国の重要文化財。五間三戸の二階二層門で、高さは25.1m。左右には運長作の金剛力士像が安置されています。正面には、「お大師さまは毎日御廟から姿を現され、わたしたちをお救いくださっている」という意味の聯が掲げられています。

根本大塔

真言密教の根本道場であり高野山のシンボル。塔内には胎蔵界大日如来、金剛界四仏が祀られています。塔の建立は山上のため、完成まで弘法大師から弟子の真然大徳まで二代の年月を要したといいます。現在の大塔は弘法大師一千百年御遠忌報恩事業として再建されました。

境内と寺域の見どころ

金堂

金剛峯寺の総本堂で、本尊は秘仏の薬師如来。この仏像を仏師の高村光雲に製作を依頼した際、光雲は、高齢を理由に難色を示されました。しかし、高野山から仏師の息災延命の祈祷を送り続け、それに応えて師は毎日斎戒沐浴し5年がかりで完成させたといいます。

奥之院

一の橋から弘法大師御廟まで約2kmの参道には何百年も経た老杉がそびえます。道のりには20万基を超す墓碑が並び、高野信仰の厚さをうかがわせます。弘法大師の眠る御廟は大師信仰の中心地で、現在でも救いを求める人へ手を差し伸べていると深く信じられています。

プチコラム

萬燈供養会（ろうそく祭り）

毎年8月13日、一の橋から奥之院までの聖域約2キロの参道を、参拝者の手によって約10万本のローソクの光で厳かに飾ります。奥の院に眠る大師の御霊を供養するお祭りです。

DATA

MAP 99P

住所	和歌山県伊都郡高野町高野山132（以下、金剛峯寺）
電話	0736-56-2011
拝観料	500円（抹茶接待付）
拝観時間	8:30～17:00
定休日	無休
交通	バス停金剛峰寺前から徒歩すぐ

Kumano Kodo
Pilgrimage Routes

21 真言密教の聖地・高野山 その山上の聖域を歩く

極楽橋駅〜奥の院前バス停

南海高野線の終点、極楽橋駅から伽藍の立ち並ぶ高野山の中心部から奥之院をめざすコースです。

極楽橋駅を出て、赤い橋の極楽橋を渡り、木立のなかの山道に入ります。**清不動堂**(きよめふどうどう)から登り坂が続きます。バス道に出ると、右手側はバス専用道で左手に進むとまもなく、明治初期まで女性は堂内で参籠した**女人堂**があります。ここからは宿坊や伽藍が立ち並んでいます。金輪塔の先左手に家康と秀忠を祀る徳川家霊台があります。警察署の手前で右折して細い道を進み突き当たりを右折し、しばらく行くと**根本大堂**が見えてきます。トンネルをくぐり、愛宕前の信号を左折すると、右手に平等院を模した**霊宝館**があります。道なりに曲がって突き当たりが、高野山真言宗総本山**金剛峯寺**です。宿坊の並ぶ中を行くと、左手が**苅萱堂**(かるかやどう)です。一の橋を渡り、杉木立の中の武田信玄や明智光秀の墓などの前を通ります。中の橋を渡るとすぐ左に汗かき地蔵があります。覚ばん坂を登り、豊臣秀吉と織田信長の墓の前を過ぎると御廟橋です。この先は撮影禁止です。

36町石の先が中心聖地である**弘法大師御廟**です。御廟橋まで引き返し、左折して川沿いの道を行くと**奥の院前バス停**です。

①高さ48.5メートルの立派な**根本大塔**は、江戸時代に焼失し、昭和初期に再建されたものです。

②バス停金堂前すぐに建つ国宝壇上伽藍不動堂は、築800年を越える山内最古の建物です。

コースプランのヒント

Hint!

奥之院から護摩壇山経由で龍神温泉へは、護摩壇山からのバスの運転日が、8·9月と、10月19日から11月10日の毎日と、11月24日までの土曜休日のみで、冬季は運休となっています。あわせて予約が必要となっています。

【コースプラン】

A 極楽橋駅→【40分・1.9km】→ **B** 清不動堂→【15分・0.7km】→ **C** 女人堂→【20分·0.9km】→ **D** 根本大堂→【5分·0.3km】→ **E** 霊宝館→【10分·0.5km】→ **F** 金剛峯寺→【15分・0.8km】→ **G** 苅萱堂→【30分・1.8km】→ **H** 弘法大師御廟→【15分・0.8km】→ **I** 奥の院前バス停

【歩行時間】 **3時間10分**

【歩行距離】 **7.7km**

③小田原通りのバス停から少し南に入った静かなところに立つ金剛三昧院多宝塔は、日本最古級の多宝塔です。

④奥之院参道には、多くの戦国武将や大名、高僧などの墓が並んでいます。織田信長の墓もそのひとつです。

九度山駅へ
480
E 霊宝館
C 女人堂
D 根本大塔
大門
西南院
F 金剛峯寺
高野山高
出発
至る
A 極楽橋駅
徳川家霊台
B 清不動堂
高野山 料理 花菱 105P
濱田屋 105P
高野山別格本山 西室院 喫茶部 105P
G 苅萱堂
武田信玄の墓
奥之院参道
織田信長供養塔
奥之院
N
奥の院前
到着
371
G 弘法大師御廟
I 奥の院前バス停
龍神温泉へ

アクセス

① **極楽橋駅へのアクセス**

難波駅から、南海電鉄特急こうや号［1時間24分／1,680円］
※急行［1時間40分／890円］
橋本駅から、南海電鉄天空号（展望電車）［45分／450円（一部指定席、指定料金520円）］

② **奥ノ院前バス停へのアクセス**

難波駅から、南海電鉄特急こうや号極楽橋駅へ。南海電鉄高野山ケーブル乗り換え［1時間45分／2,600円］
高野山駅から、南海りんかんバス［16分／420円］
京都駅から、南海りんかいバス［2時間45分／2,600円（予約制）］

コラム

御廟橋と三十七

弘法大師御廟への入口にある御廟橋は、木製の橋であり、36枚の橋板からできています。橋全体を一尊、板の一枚を一尊とみたてて金剛界三十七尊を表しています。高野山ではこの数字が各所に見られます。

Kumano Kodo
Pilgrimage Routes

22 真田幸村も歩いた聖地高野山への道

九度山駅～上古沢駅

弘法大師空海が高野山を開いた際に、木の卒塔婆を立てて道標とした道が町石道です。

九度山駅前の国道を横断、県道に入りすぐ前の真田橋を渡ります。さらに永代橋を渡ると真田庵の看板が見えてきます。左折すると真田昌幸、幸村父子が隠棲した真田庵ですが、直進し、丹生橋を渡ります。県道13号を横断し、近畿自然歩道の道標に従って進むと**慈尊院**です。

ここから町石がはじまり、町石道となります。起点は180町石で番号が順に減っていきます。170から168、166から164町石の間は急な登りです。162町石を越えると地道になります。160町石から杉木立の中に入ります。雨引山分岐からは尾根道となり、137町石から石段を登ると**六本杉**の分岐です。ここで町石道と別れ、近畿自然歩道を進みます。滑りやすい急坂を下ると県道に合流します。左手に高野山の地主神が祀られている**丹生都比売神社**（にうつひめじんじゃ）があり、**二ツ鳥居**で町石道に合流します。124町石が**古峠**で、ここから急坂を一気に下ります。杉林から柿畑に入り、さらに急坂が続きます。国道を横断し、また下り坂となり、上古沢大橋を渡り、急な登り坂の上が**上古沢駅**です。

①真田幸村親子が暮らした**真田庵**です。生活はかなり苦しく、実家の信州へ無心の手紙を何通も出していました。

②本尊は国宝の秘仏である弥勒仏という**慈尊院**ですが、安置する本堂弥勒堂は世界遺産です。

コースプランのヒント Hint!

二ツ鳥居から町石道は、笠木峠を越えて高野山大門へと続いています。しかし、九度山駅から歩き通すと20キロを越え、7時間以上かかります。脚力に自信があればチャレンジしてみるのもよいでしょう。

【コースプラン】

A 九度山駅→【25分・1.5km】→ B 慈尊院→【1時間25分・3.5km】→ C 六本杉→【30分・2.0km】→ D 丹生都比売神社→【35分・1.5km】→ E 二ツ鳥居→【10分・0.5km】→ F 古峠→【1時間・2.9km】→ G 上古沢駅

【歩行時間】 4時間5分

【歩行距離】 11.9km

③**慈尊院**横に立つものが起点を示す町石で、山中に数多く立てられたものを見ると、その苦労が偲ばれます。

④紀伊一の宮である**丹生都比売神社**は、全国の丹生都比売神社の総本社という格式の高い古社です。

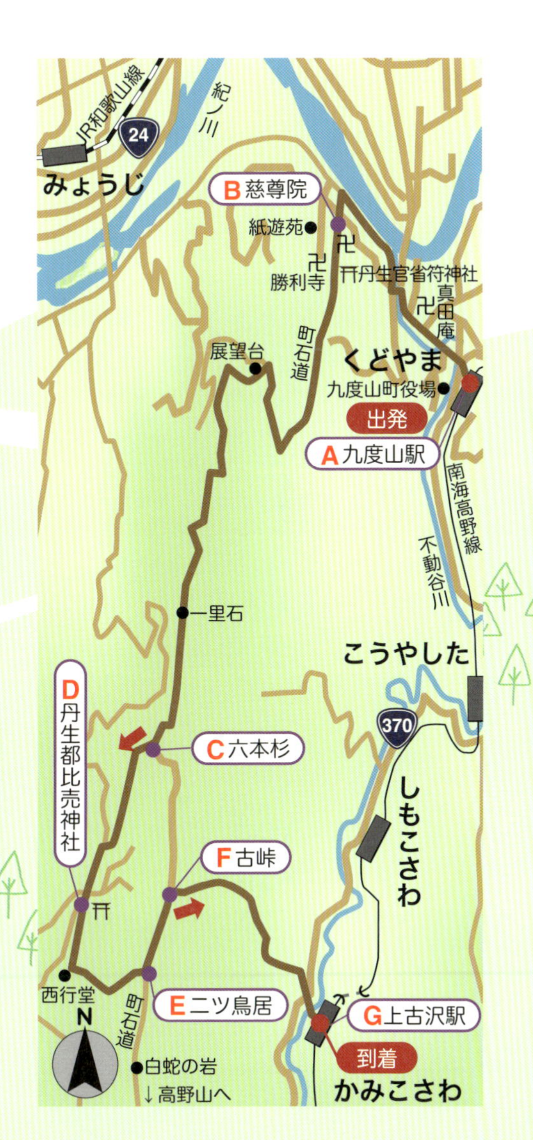

アクセス 

① 九度山駅へのアクセス

難波駅から、南海電鉄急行[1時間9分／810円]
極楽橋駅から、南海電鉄急行[31分／340円]

② 上古沢駅へのアクセス

難波駅から、南海電鉄急行[1時間20分／840円]
極楽橋駅から、南海電鉄急行[18分／210円]
※特急こうや号は九度山駅、上古沢駅には停車しないので橋本駅で急行に乗り換え。(橋本駅までの特急料金520円)

コラム

真田幸村と高野山町石道

関が原の戦いで西軍に参加した真田親子は、高野山に蟄居を命じられます。当初は山上でしたが、女人禁制では、妻帯者の幸村は不便であろうということで、真田庵となった善名称院へと移りました。つまり真田親子は町石道を往復したということです。ここで父の昌幸は亡くなり、幸村は豊臣の密使が大阪城へ招くまで 15 年、この地で過ごしました。

コラム❸

弘法大師の開いた参道
高野山町石道

熊野参詣の道の中に数えられる高野山町石道は、世界遺産にも指定されている古道です。
熊野古道小辺路へと続くこの道について、少し掘り下げてみました。

真言宗の根本道場として、弘法大師空海が開いた聖地、高野山への道は幾つもあり、それが山の手前で集約されて7つの道となっています。その各入り口が高野七口と呼ばれるものです。各口には明治初期まで女人禁制であったため女人堂が建てられ、女性はそこでお参りをしていました。現在は不動口女人堂のみ残っています。

ひとつは石清水八幡宮からの東高野街道と、堺からの下高野街道、中高野街道を合流した西高野街道が河内長野で合流した「高野街道京大坂道」の「不動口（不動坂口）」、このルートの極楽橋からの行程はコース 21 で紹介しています。

橋本の賢堂から国城山を越え玉川峡を渡って高野山への道が「黒河道」で「大和街道」とも呼ばれ、豊臣秀吉が馬で駆け下りたとされている道です、この入口が「粉撞口」です。

弘法大師空海が初めて高野山へ入ったとされる道が、大峰山からの「大峰道」で、「すずかけの道」とも呼ばれ、高野豆腐発祥の地を通るルートです。高野山の東に位置するので「東口」と呼ばれています。

中辺路から分岐して龍神温泉からの天狗伝説の残る山深いルートが「有田・龍神道」の「湯川口」です。高野槙の産地の相ノ浦と高野山を結ぶのが、高野七口のうちで最も利用者の少ない「熊野街道」とも呼ばれる「相ノ浦道」の「相ノ浦口」で、江戸以前からの物資輸送のルートです。

そして、熊野本宮大社からの「小辺路」からの入口が「大滝口」です。

また、「高野山町石道」からの入口が「大門口」または「高野街道西口」と呼ばれ、この道は、国指定史跡であり、世界遺産にも登録されている、九度山の慈尊院から大門への道で、開山の折に空海が自ら木の卒塔婆を立て、道しるべにした、とされています。

1町石の奥にある壇上伽藍西塔は、江戸末期建立の多宝塔で、外見は渋いですが内部は絢爛豪華な極彩色です。

このため高野山への表参道とされ、皇族や武士は主にこの道を使っていました。鎌倉時代に、空海の出生地である讃岐の花崗岩で作られた卒塔婆形の町石に変えられ、一町（約 109 メートル）ごと 216（慈尊院～根本大塔で 180 ＝胎蔵界の数、さらに奥の院へ 36 ＝金剛界の 37 尊、全体を1とし計 37）も立てられ（現存は 150 ほど、後に 50 ほどを再建）、36 町ごとに里石が立てられています。これがメートル法以前の 36 町を1里とする里制の起こりといわれています。

町石は、高さ約3メートル、約 30 センチ角の五輪塔型で、梵字（密教の仏尊を示す）、町数、施主名、造立年月日が記されています。それによると、文永 3（1266）年から、弘安 8（1285）年とあり、19 年間もかけて立てられたことが分かります。

この事業は後嵯峨上皇や北条時宗がメインスポンサーだったようですが、施主名には、名門の武士や高僧はもちろん、女性や、庶民まで多くの名前

1町石の一番近くにある六角経蔵は優美な六角の二重塔で、国の史跡に指定されている昭和初期の建物です。

が残されています。なお、町石は土砂崩れや国道整備などによって、一部のものは移動したものもあるようで、100メートル行かないうちに立てられているとか、逆に間隔が空きすぎているものもあるので撮影や歩行ペースに利用するときは注意して下さい。

この道は、長年多くの人々が歩いたことでしっかりと踏み固められたうえ、一部は近畿自然歩道としても整備もされています。そのため、峠はありますが、歩きやすいハイキングコースとなっています。ただし距離が約25キロもあり、高低差も700メートル程もあるので、一日で全区間歩くことは、九度山駅を早朝に出発しないと難しくなっています。では、町石ごとにポイントを案内しましょう。(右表参照)

町石道は空海が開いた道と思う方が多いですが、実は、「性霊集」によると、高野山を開く20年も前にこの道を歩いた記録が残っています。空海が20歳前後のことで、そのころ高野山は「たかの」と呼ばれていたようです。調査によると、慈尊院から六本杉までは、高野山開創以後に開かれ、その奥は奈良時代以前からあった道とみられています。

❖町石ごとのポイント

180町石	慈尊院
165町石	[現存せず] 展望台 (日本の朝日夕陽百選)
154町石	雨引山分岐
144町石	一里石
136町石	少し手前、六本杉 (丹生都比売神社分岐)
124町石	古峠
120町石	二ツ鳥居
113町石	応其池
108町石	一里石
86町石	笠木峠
72町石	三里石
63町石	[現存せず] みまもり地蔵
60町石	矢立茶屋・砂捏地蔵
59町石	六地蔵
55町石	袈裟掛石
54町石	押上石
36町石	四里石
28町石	鏡石
7町石	大門脇鳥居
1町石	六角経蔵

<奥の院側>

1町石	根本大塔
4町石	金剛峯寺
7町石	高野山観光協会
14町石	刈萱堂
17町石	一の橋
20町石	大岡越前守墓
22町石	武田信玄墓
24町石	石田三成墓
26町石	中の橋
27町石	[現存せず] 覚ばん坂
30町石	江姫供養塔
32町石	豊臣秀吉墓
34町石	御廟橋
36町石	弘法大師御廟

MAP 113P まごころの宿 丸井（龍神温泉）

真心のもてなしでゆったりのんびり

「まごころの宿、手づくり料理でおもてなし」をモットーに100年近い歴史を紡ぐ宿。料理は山川の幸を活かした手作りで、お客が身も心をリフレッシュして帰れることを心がけています。温泉は、お肌がスベスベになる気持ちよさと好評です。

- 0739-78-0018
- 和歌山県田辺市龍神村西 9-2
- 12 室
- 1 泊 2 食付・13,200 円〜
- あり
- バス停丸井旅館前下車、徒歩 1 分

高野山と周辺の温泉と宿

高野山には宿坊は多数あります。温泉に泊まるのであれば、高野山駅からバスで行ける野迫川村と、田辺市龍神（旧龍神村）には、温泉が湧いています。野迫川村は交通の便が悪いので、ここでは龍神温泉をご紹介します。

MAP 99P 高野山宿坊

- 0736-56-2616（高野山宿坊協会）
- 和歌山県伊都郡高野町高野山 600
- 一泊 2 食付 10800 円〜
- 極楽橋駅から高野山駅まで南海電鉄ケーブル 5 分

高野山ならではの宿 宿坊

宿坊は、もとは僧侶が宿泊する施設でしたが、寺社参詣の普及により、貴族から武士、一般の参詣者も宿泊できるようになりました。

宿坊は、寺院の一部ですので、多くの宿坊では宿泊者に対して朝のお勤めとして住職の講話などを行っています。この朝のお勤めは、精進料理とともに宿坊に泊まる大きな魅力のひとつですので、ぜひ参加してみましょう。

高野山では117ヶ寺の寺院のうち、52ヶ寺が宿坊を行っています。高野山の宿坊は精進料理、客室、お風呂、庭園にそれぞれ特徴があり、般若湯と呼ばれるお酒やビールも自由に飲めます。

心安らぐ聖山での静かな一夜を過ごしたら、翌朝は本堂での早朝勤行に参加するのはいかがでしょうか。

【伝統料理】

精進料理

僧侶の生活の中から生まれた食文化

厳しい精神修行を行うため、肉や魚などを食べることを禁じられていた僧侶たちの中から生まれた食文化。肉や魚などの動物性たんぱく質は一切使わず、代わりに野菜や豆類、穀物などを工夫して調理します。豆腐などを使い肉や魚に姿と味を似せた「もどき料理」には驚かされます。

【郷土料理】

胡麻と吉野葛で作る豆腐

精進料理のひとつで、奈良県および和歌山県の郷土料理。「豆腐」という名前が付くものの原材料に大豆は含まれないのが特徴。主な材料は胡麻および吉野葛で、皮を取り、擂り潰した胡麻と葛粉を水で溶いて火にかけて練り、豆腐状に冷やし固めます。わさび醤油あるいはタレをかけて食します。

高野山グルメ&ショッピング

MAP 99P

高野山料理 花菱

心に残る伝統の精進料理

高野山に引き継がれる精進料理を季節感を大切に見た目も味も豊かに仕立てた料理を供します。お持ち帰りのお弁当類も様々な種類が揃います。

- 0736-56-2236
- 和歌山県伊都郡高野町高野山 769
- 11:00 ～ 18:00
- 休 不定休
- バス停千寿院橋下車すぐ

MAP 99P

濱田屋

瑞々しく濃厚な胡麻豆腐

白胡麻・吉野本葛 100%・高野山圓山弁天の清水のみ使用した胡麻豆腐は風味満点。お持ち帰りはもちろん、出来立てを店頭でも味わえます。

- 0736-56-2343
- 和歌山県伊都郡高野町高野山 444
- 9:00 ～ 17:00
- 休 不定休
- バス停小田原通り下車、徒歩 3 分

MAP 99P

高野山別格本山 西室院 喫茶室

庭園を眺めながら静かなひと時を

高野山開創時に弘法大師が開基した塔頭寺院の一院、その静寂に包まれた喫茶室で寛ぎのひと時を。美しい水引を使った製品はお土産に最適です。

- 0736-56-1234
- 和歌山県伊都郡高野町高野山 697
- 10:00 ～ 16:30(L.O.16:00)
- 休 不定休
- バス停一心谷下車すぐ

大峯奥駈道を歩く

おおみねおくがけみち

※修験道の修行の道で熊野古道のひとつとは数えません。

大峯奥駈道のコース

コース< 23 >洞川温泉～洞川温泉（女人結界）

修験道の根本道場である吉野山金峯山寺と、熊野本宮大社を結ぶ、熊野詣でには最も過酷な道です。
修験道の開祖、役の行者が開いたルートですが、1000 メートルを越える峰をいくつも越えるまさに修行の道となっています。
起点は近鉄六田駅付近で、吉野山金峯山寺から、山上ヶ岳（大峯山寺）、八経ヶ岳、釈迦ヶ岳、地蔵岳、笠捨山、玉置山、そして熊野三山の奥宮と言われる玉置神社から熊野本宮大社へと至る、まさに紀伊半島の背骨の尾根を縦走する道です。現在は南側の一部が林道となり、他は今も修験者に出会う登山道となっています。

大峯奥駆道へのアクセス

近鉄の下市口駅が入口となります。大阪・京都からは近鉄橿原線特急で橿原神宮駅を経由し、吉野線特急に接続します。

◉洞川温泉へ

大阪阿部野橋駅から、近鉄吉野線特急［1時間2分／毎時1往復／1,660円（急行で1時間11分／毎時2往復／930円］で、下市口駅乗換え奈良交通バス［1時間18分／1,300円／洞川温泉下車］

※JR線の利用も可能ですが、本数が少なく大阪・京都方面からは近鉄利用が便利です。和歌山線吉野口駅で近鉄吉野線に接続します。

Kumano Kodo
Pilgrimage Routes

23 女人禁制の聖地 大峰山の入口

洞川温泉バス停～洞川温泉バス停

標高 820 メートルの山里が洞川温泉、女人禁制の大峰山山上ヶ岳の入口にあたります。本来の大峯奥駈道の山上ヶ岳へは女性は歩けないので、女人結界までのコースをご紹介します。

洞川温泉バス停から温泉街へは橋を渡りますが、渡らずに観光案内所の前の、寺前通りを直進します。ガソリンスタンド前で左折し自然研究路に入ります。八幡宮から山道となり、モノレールのレールが見えると、1 年の平均気温が 8 度という洞内で鍾乳石や石筍を見学できる**面不動鍾乳洞**に着きます。

役行者が泉を発見したという龍泉寺の北側、自然研究路上を進みます。分岐道を直進し、小泉川にかかる全長 120 メートルの吊橋の**かりがね橋**を渡りますが、なかなかの眺望です。

大原山の展望台を経て、寺前通りの続きである大原通りに合流しますが、その地点に洞川エコミュージアムがあります。

かじかの滝の前を過ぎ、しばらく行くと、女性はここまでという女人結界からすぐが**大峯大橋**です。日本の名水百選の一つごろごろ水や蟷螂の窟前を通り、行者の道と呼ばれる旅館街のメインストリートを抜け、持影橋を渡ると**洞川温泉バス停**です。

①まるでテーマパークの乗り物のような面不動モノレールからは、温泉街が一望できる景色も最高です。

②鉄で組んだ入口から**面不動鍾乳洞**に入ると、ひんやりと涼しい地底の別世界が広がっています。

コースプランのヒント Hint!

洞川温泉からは護良親王が勝利祈願をしたというみたらい渓谷へのハイキングコースが続いているので、こちらもおすすめです。整備された川沿いの道で 1 時間 20 分、さらに天川川合バス停まで 40 分というちょうどよい距離です。

【コースプラン】

A 洞川温泉バス停→【15 分・0.5km】→ B 面不動鍾乳洞→【25 分・1.0km】→ C かりがね橋→【50 分・2.0km】→ D かじかの滝→【40 分・2.2km】→ E 大峯大橋→【1 時間・4.5km】→ A 洞川温泉バス停

【歩行時間】 **3 時間 10 分**

【歩行距離】 **9.7km**

③ゆらゆらとゆれる鋼鉄線で吊った吊り橋の**かりがね橋**は、高さ 50 メートルでスリル満点です。

④落差 5 メートルほどの小さな**かじかの滝**ですが、火成岩と石灰岩の変わり目という特異な地層です。

⑤この**大峯大橋**を渡っていくとすぐに女人結界のゲートがあり、女性も車も入れるのはここまでです。

アクセス

① 洞川温泉バス停へのアクセス

大阪阿部野橋駅から、近鉄吉野線特急 [1時間2分／1,660円] で、下市口駅乗換え奈良交通バス [1時間18分／1,300円／洞川温泉下車]

コラム

大峰山山上ヶ岳

平成の現在も女人禁制が続く大峰山山上ヶ岳は、大峰山系の主峰で標高 1719 メートル。山上には「鐘掛岩」、「蟻ノ戸渡り」などの行場があり、特に岩から身を乗り出す、恐怖の行で知られる「西ののぞき」は圧巻です。洞川温泉から 4 時間の道のりですが、5 月でも残雪があることもあり遭難者がでることもある難路です。

Kumano Kodo Pilgrimage Routes

金峯山寺

きんぷせんじ

大峯奥駈道の北の入口にあたる修験道の道場

修験道の根本道場で、金峯山修験本宗の総本山。7世紀後半に修験道の開祖・役行者により開かれました。

本尊は、約7mの巨大な秘仏・蔵王権現で、本堂の蔵王堂に諸仏とともに安置されます。

金峯山寺は、修験道の聖地となり、10世紀初めごろには僧侶をはじめ、貴族や庶民の金峯山詣でが盛んになりました。

修験道とは、修行得験とか実修実験とか表現されるように、深山幽谷に分け入って、命がけの修行をし、霊力や験力を開発する道とされます。

境内と寺域の見どころ

金峯山寺仁王門（世界遺産・国宝）

仁王門は、北面の玄関口の役割を果たす三間一戸の楼門で、棟の高さが20mを超える規模を誇ります。金峯山寺の現存する最古の建築物で、延元3年（1338）頃の再建とされ、国宝に指定されています。※現在解体修理中

蔵王堂（世界遺産・国宝）

金峯山寺の本堂で、堂内には国の重要文化財に指定されている蔵王権現像3体が安置されています。蔵王堂は正面5間、側面6間、高さ約34m、檜皮葺きの巨大な建物で、東大寺大仏殿に次ぐ木造大建築です。

参道

金峯山寺の総門・黒門をくぐると、旅館や飲食店、土産物店などが並ぶ上り坂の参道が続きます。さらに進むと銅鳥居があり、蔵王堂への参道が続きます。銅鳥居は、俗界と聖地の境界を象徴する建物とされます。

プチコラム **蓮華会・蛙飛び行事**

毎年7月7日に行われる蓮華会。大和高田市奥田にある弁天池の清浄な蓮の花を蔵王権現に供えます。蛙飛び行事は、大青蛙を乗せた太鼓台が蔵王堂へ練り込み、法要の後、蛙飛びの作法が行われます。

MAP 112P

住所	奈良県吉野郡吉野町吉野山2500
電話	0746-32-8371
拝観料	800円（特別御開帳の期間は1,600円）
拝観時間	8：00～16:00
定休日	無休
交通	ロープウェイ吉野山駅下車、徒歩10分

MAP 109P
花屋徳兵衛（洞川温泉）

昔ながらの行人宿で歴史を感じる

洞川温泉の中で最も古い歴史をもつ一軒。館内は地元吉野の木材を用い、温もりと安らぎに満ちています。料理は季節感を大切に、厳選した地元の食材を中心に使用。洞川らしい名水豆腐屋や川魚、猟師から仕入れる猪などが並びます。

- 0120-134-878
- 奈良県吉野郡天川村洞川 217
- 7 室
- 1 泊 2 食付・15,700 円～
- あり
- バス停洞川温泉下車、徒歩 8 分

大峯奥駈道の温泉と宿

桜の名所である吉野から大峰山を越えて十津川にいたる山深いルートの大峯奥駈道は、まさに秘湯の宝庫です。マニアしか訪れない秘湯は別として、吉野の温泉だけでもいくつもありますが、コースでも紹介した洞川温泉をおすすめします。

大峯奥駈道 グルメ&ショッピング

Gourmet & Shopping #7

MAP 109P
銭谷小角堂

洞川伝統の陀羅尼助を求めたい

胃腸に効く和漢薬・陀羅尼助を古くから修験山伏や観光に訪れる人々へ提供してきた老舗。陀羅尼助の他にも地元のお土産なども取り扱っています。2022 年 9 月には名水「ごろごろ水で仕込んだクラフトビールの醸造所・タップルームがオープンします。（予定）

- 0120-146-046
- 奈良県吉野郡天川村洞川 254-1
- 10:00 ～ 19:00
- 1 月 1 日～ 3 日
- バス停洞川温泉下車、徒歩 7 分

熊野古道歩くコース外マップ

大峯奥駈道 金峯山寺

伊勢路 阿曽温泉

大辺路 椿温泉

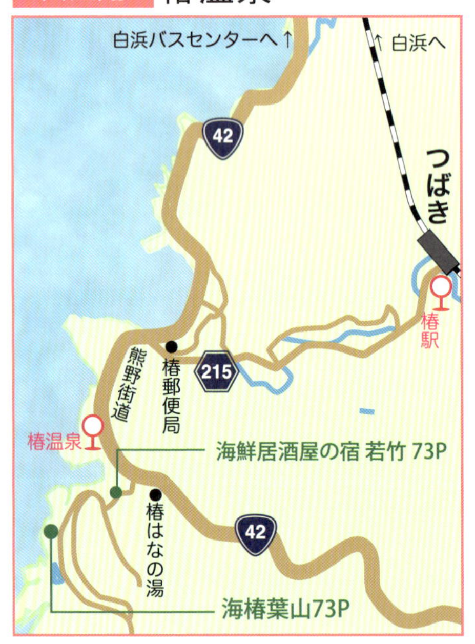

大辺路 白浜町堅田

各コースにおとしきれない温泉、店舗などをこのページのマップに収録しています。

紀伊路 みなべ町

紀伊路 湯浅

小辺路 十津川村

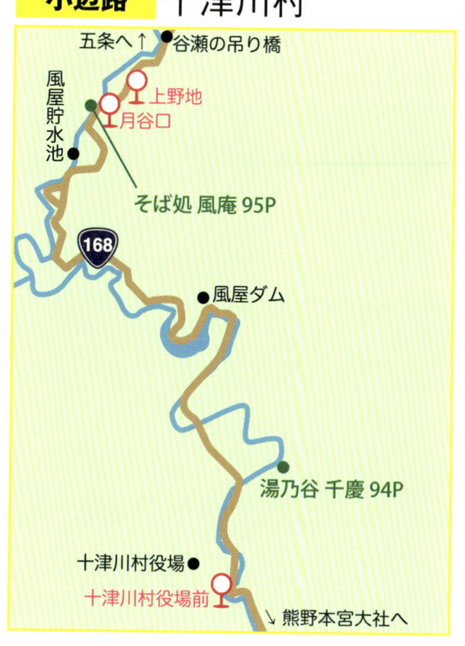

高野山周辺 龍神温泉

熊野古道を知る―①

熊野古道の歩き方

歩き方のポイント

ハイキングに慣れていない方は、まず初回はハイキングツアーなどに参加する方法があります。クラブツーリズムなどの旅行会社やJR西日本、東海が主催するものの他、「新ハイキング」「山と渓谷」などの専門誌のハイキングクラブなどがあります。慣れたガイドや先輩と歩けば安心です。そうしたコミュニテイに参加したくなければ、まずは短いコースや、バス路線と平行する初心者コースからはじめてみてください。語り部ガイドと歩くのもよいでしょう。

着るもの・持ち物（装備品）

手軽なハイキングコースと銘打っていても、最低限の装備は必要です。

①靴

初心者コースでもハイヒールはもってのほか、スニーカーなど歩きやすい靴が最低限必要です。買ってから初めて使用するのは、靴ずれができたりしますから、近所の買い物などでも使って慣らしておきましょう。トレッキングシューズがあれば、ほとんどのコースに行けますが、大峰奥駈道などは、本格登山靴を用意しましょう。慣れた靴でも石畳など滑りやすいですから、靴底が磨り減っていないか確認しておきましょう。

②靴下

靴にあったものとすることは当然ですが、必ず代えの靴下も用意しましょう。誤って沢に踏み入れたりした場合、濡れたままの靴下では体温低下により、急激な体力消耗となります。

③服

絶対に必要なのが長袖です。季節によっては暑いかもしれませんが、紫外線や虫、尖った木の枝などから腕を守ってくれますから、真夏でも長袖を用意しましょう。もちろんボトムも長ズボンが必要です。また下着の代えも用意しておきましょう。気温や体温が下がってきたら重ね着できますし、発汗が激しいときは着替える必要があります。また急激な天候の変動に備えて上着、雨合羽なども用意しておきましょう。伸びた枝や草をかき分けるのに軍手があれば便利です。

④帽子

上部に張り出した木の枝や、落ちてくる鳥の糞などから頭を守ってくれる帽子は必ずかぶりましょう。また多少の雨に対応できます。汗止めとしても機能するように、ぶかぶかのものは避けましょう。天候が不順ならば、あらかじめ防水スプレーなどかけておくとよいでしょう。

⑤タオル

発汗や急な雨、沢の転落などに備え、タオルは最低2枚、用意しましょう。1枚は暑いときなど濡らして使用し、1枚は乾いたままふき取りに使います。

⑥雨具

雨合羽と折りたたみ傘は最低限用意しておきましょう。紀伊半島は日本一の多雨地帯ですから、ちょっとした風向きの変化で雨が降ります。さらに雨合羽は防寒具としても役にたちます。上下セパレートになったものが理想的ですが、初心者コースでは天候が安定していれば、100円ショップのものでも十分です。

⑦水

水筒を用意しなくても、ペットボトルは用意しておきましょう。ペットボトルは空になっても捨てないで、水場で補給して使うとよいでしょう。100円ショップにある折りたたみ式じょうごもあれば便利です。量の目安は1日コースで1リットルですが、夏場は多めに準備しましょう。

⑧バッグ

背中に背負うタイプのデイバッグ、できれば容量20リットルくらいのものを用意しましょう。

⑨携帯電話

本誌の掲載コースのほとんどで携帯電話が使えます。遭難はもちろん、盗難などもありますから、必携です。ただし電波の弱いところもあり、電池の消耗も早い場合がありますから、必ず前泊地や新幹線車内（コンセントは新型車輌は座席ごと、旧型の一部は車端部、ない車輌もある）で充電しておきましょう。人力式充電器（ハンドルをまわして発電するもの）など持っておけばなおよいでしょう。ほとんどの携帯はGPS機能がついていますから、事前に使い方を確認しておけば、地図と照合して位置確認ができます。また交通ナビやウオーキングナビなど使えるようにしておくと便利です。

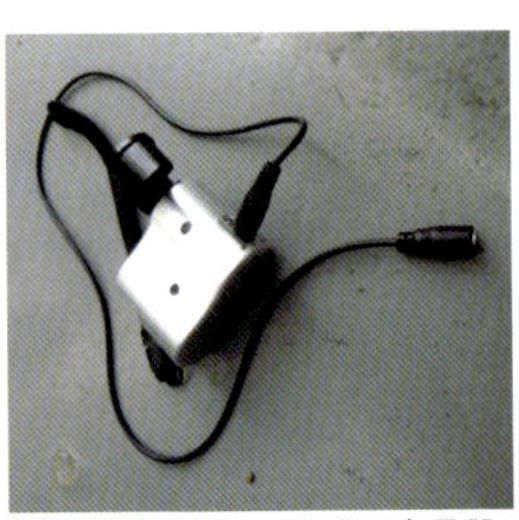

▲ハンドルを回す方式の充電器、停電時にも便利です。

⑩非常食

夏は溶けてしまいますが、それ以外はチョコレートが命を救った例が多いですから、非常食として持っていくのがよいでしょう。非常食として販売されているものの他、ビスケットやレトルト食品など、緊急の場合を考えて持参しましょう。糖分補給に飴もぜひ用意したいものです。

⑪懐中電灯

昼間しか歩かないと決めていても、天候によって思いのほか暗くなる場合もありますから、懐中電灯も念のため持っていきましょう。

⑫地図

地図には様々な種類がありますが、できれば国土地理院発行またはその許可を得て複製したものを用意しましょう。最近紀伊半島は豪雨災害が続き、地形の変動がありますから、最新のものが必要です。

⑬笛

猪などの野生動物がでる場合や、交通事故、犯罪にまきこまれないように笛を用意しておくと良いでしょう。転落時などにも吹いて知らせることができます。

⑭ごみ袋

ほとんどが世界遺産の熊野古道。そうでなくてもゴミは持ち帰りましょう。大きめのゴミ袋を持っていけば、防寒や雨具としても使えますし、濡れた着替えやタオルを入れておくのにも便利です。

⑮携帯灰皿

喫煙する人は、携帯灰皿は必需品。歩きタバコはもちろんダメですが、休憩場所でも人がいれば離れた風下で喫煙しましょう。

⑯杖

中辺路の一部などでは、無料レンタルの杖がありますが、足腰の弱い方は自分の持ちやすい杖をあらかじめ用意しておくと安心です。

⑰弁当

前泊する場合は、宿に頼んでおけば、弁当を用意してくれる場合があります。ほとんどの宿泊施設で対応してくれますが、申し込み締め切り時間は宿によって異なりますから、早めに予約しておきましょう。めはりずしや柿の葉ずし、おむすび、漬物など素朴なものが多いようです。昼食用のほか、早朝出発の場合は朝食に対応してくれるところもあります。伊勢路の熊野古道シャトルバスもコースによっては下車地点で受け取れるサービスがありますから、バスと一緒に申し込んでおくのも手です。

⑱緊急医薬品

持病のある人はもちろんその薬を用意するのは当然ですが、絆創膏、包帯、胃腸薬くらいは用意しておくと安心です。

⑲虫除けスプレー

夏場は特に必携です。歩き出す前にかけておきましょう。蚊は足を刺すことが多いですから、足も忘れずにかけておきましょう。靴下の上から刺されることもあります。最近は、セアカゴケグモにも注意が必要です。

歩き出す前にストレッチを

短いコースであっても、歩き出す前にストレッチをしましょう。ストレッチは、筋肉をほぐして血液の循環をよくする効果があります。肉離れや足のつりなどをおこしやすい人は特にお忘れなく。無理な力を加えたり、反動をつけないで、1ポーズ10秒は維持しましょう。①まず手を上に上げてあわせ、上体を伸ばしましょう、このときかかとも一緒に上げましょう。②そのままゆっくり左右に曲げ、横に伸ばしましょう。③身体をもどしあわせた手で大きく円を書いて上体をまわしましょう。④合わせた手は離し、身体を前後に曲げましょう。⑤膝に手をあて、膝の屈伸運動をしましょう。⑥足を前後に開き、軽く膝を曲げてふくらはぎやアキレス腱を伸ばしましょう。⑦立ったまま片膝ずつを引き寄せましょう。立ったままできない人はお尻をついてやりましょう。⑧足首を持って片足を後ろに引き上げ、足首を回しましょう。⑨首を前後左右にふり、回転させましょう。⑩最後に深呼吸。息はしっかり吐ききりましょう。

平安衣装で歩く・語り部と歩く

大門坂茶屋、熊野那智大社、熊野古道館では、あでやかな平安衣装を着て歩くことができます。衣装には、女性用、男性用、子供用の3種類があります。1時間2000円、2時間3000円ほどです。歴史を秘めた道ですから、それぞれに多くの話が残されています。地元の語り部ガイドと歩けば、知識も増えるとともに、歩くペースも調整してくれますから、初心者にはおすすめです。料金は各組織によって異なりますが、1名3000円から23000円くらいです。旅行会社で依頼できる組織もあります。

主なガイド組織

熊野本宮語り部の会	☎0735・42・0029
熊野で健康ラボ（本宮）	☎0735・42・0118
NPO法人漂探古道（中辺路）	☎0735・64・1350
熊野古道語り部の会（中辺路）	☎090・1026・1118
三体月語り部の会（中辺路）	☎0739・64・0029
うた加楽衆（中辺路）	☎0739・64・1870
新宮市観光ガイドの会	☎0735・22・2840
熊野・那智ガイドの会	☎0735・52・5311
田辺観光ボランティアガイドの会	☎0739・26・0710
那智勝浦町観光ボランティアガイドの会	☎0735・54・2019

※手荷物搬送サービス

滝尻から歩いて近露の宿へ宿泊する場合や、中辺路から本宮へは、NPO法人漂探古道が荷物の有料搬送サービスがあります。宿泊する場合は宅配便で宿へ荷物を送っておくとよいでしょう。かえりも殆どの宿から荷物を送れます。

スタンプラリーしながら歩く

熊野三山といえば牛王符を集めるのが定番ですが、西国巡礼などに習って、王子などにスタンプを用意している場所があります。所定のスタンプ帖に集めると特典があるものもあります。いくつかありますが1つ紹介しておきます。「熊野古道中辺路押印帳面」熊野古道館、熊野本宮観光協会で受け取り、36全てに押すと「完全踏破証明書」が発行されます。

熊野古道を知る―②

交通のご案内

熊野古道への交通

熊野古道は紀伊半島一帯に広がっていまので、名古屋、京都、大阪からアプローチすることになります。

A）首都圏などから飛行機を利用する

飛行機は、南紀白浜空港へ羽田から3便あり、中辺路へは快速バス熊野古道号がダイレクトに結んでいます。関西空港へは、各地からの航空便があり、和歌山駅へは空港バスが40分、1100円で結んでいます。十津川への入口、大和八木駅へは空港バスが1時間15分、1900円、高野山への入口である南海河内長野駅へは、空港バスが1時間5分、1250円でそれぞれ結んでいます。関西空港から鉄道利用の場合は、JR関西空港線で日根野駅へ10分、日根野駅へは紀伊田辺駅、新宮駅への特急くろしお号の一部が停車します。

B）東海道新幹線を利用する

特急くろしお号は、ほとんどが新大阪駅始発で新幹線に連絡、一部は京都駅から直通します。名古屋駅からは、紀伊路の熊野市・尾鷲方面へは特急南紀号がありますが、伊勢市へは近鉄特急のほうが便利です。大和八木駅へは、京都駅、名古屋駅からの近鉄特急が便利です。高野山へは、新大阪駅から大阪市営地下鉄で難波駅乗換え、南海電鉄というルートです。

C）高速バスを利用する

紀伊田辺、白浜へは、大阪駅から昼行バス、大宮駅、池袋駅、バスタ新宿（新宿高速バスターミナル）、横浜駅（YCAT）から夜行バスがあります。尾鷲、熊野市へは、名古屋駅、松阪駅から昼行バスが、大宮駅、池袋駅、横浜駅から夜行バスがあります。伊勢市駅へは、大宮駅、池袋駅、バスタ新宿（新宿高速バスターミナル）横浜駅などから夜行バスがあります。

大和八木駅へは、新宿駅から夜行バスがあります。高野山へは、南海電鉄堺東駅へ京成上野駅、横浜駅（YCAT）から京成の夜行バスが便利で、セット割引もあります。南海電鉄起点の難波駅へは各地からの昼夜行バスがあります。新宿駅から五条バスセンターへの夜行バスも、五条駅からJR和歌山線で橋本駅へという使い方ができます。

※）高速バスは座席指定または座席定員制です、予約がないと乗車できないことがあります。夜行バスは慣れないとなかなか眠れませんから、慣れていないなら利用は避けて、帰りの利用にとどめるようにしましょう。また、到着エリア内は降車専用となり、古道エリア内の利用はできません。

熊野古道の交通

鉄道、バスともに便の少ないところが多いですから、歩行のペースがわからないとか、安定しない場合は、到着地で宿泊するようにしましょう。

A）鉄道の利用

JR紀勢本線は、特急の本数は多いですが、普通列車の本数は少ないので、普通しか停車しない駅を利用する場合は特に注意が必要です。紀伊田辺駅～白浜駅～紀伊日置駅や串本駅～新宮駅～熊野市駅などはバス路線が並走して本数もそこそこあるので、バスの利用も考えておくとよいでしょう。

B）路線バスの利用

多くの部分で本数が少ないですから、事前に時刻を調べておきましょう。白浜から中辺路を経て新宮駅への「快速熊野古道号」が便利です。また、龍神バスの龍神温泉から護摩壇山のバスは事前予約が必要です。

白浜エリアには、「白浜トクトクフリー乗車券」1日券1100円、2日券1500円、3日券1700円があり、白浜駅前、白浜空港、白浜バスセンター、三段壁、ホテル千畳、白浜御苑で購入できます。

那智山から新宮駅、熊野本宮のエリアは熊野交通バスの「熊野交通悠遊フリーきっぷ」3日間有効3000円（04・05・06・07・16コース利用可）がありますが、奈良交通バス・明光バスは利用できません。乗車券は新宮駅前、勝浦駅前などで購入できます。その他、高野山内や伊勢のフリー乗車券などもあります。

C）船の利用

数年前に、川の熊野古道ルートである「熊野川舟下り」が復活しました。道の駅「瀞峡街道熊野川」（バス停日足からすぐ）から熊野速玉大社横まで1時間30分の船旅が楽しめます。従来からある瀞峡のウォータージェット船は志古、瀞峡往復約2時間で、紀伊勝浦駅、新宮駅からバスとのセット割引乗車券があります。また、北山川筏下りが、5月から9月のみ（5・6月は土・休日のみ、7～9月は木曜運休）2便運航され、熊野市駅から北山村営バスで受付の「道の駅おくとろ」への利用となりますが、1便目はジェット船に乗り継げます。

かつて、白浜や紀伊勝浦に寄港していたフェリーは現在運航されていません。

名鉄バスセンター１番のりばからの名古屋南紀高速バス

交通機関問い合わせ先

<飛行機>

日本航空
[JAL]
☎0570-025-071

<鉄道>

JR西日本お客様センター
(6:00〜23:00)
☎0570-00-2486
JR西日本和歌山支社運輸課
☎073-425-6105
JR東海テレフォンセンター
(6:00〜24:00)
☎050-3772-3910
近鉄旅客案内テレフォンセンター大阪
(8:00〜21:00)
☎06-6771-3105
近鉄旅客案内テレフォンセンター名古屋
(8:00〜21:00)
☎052-561-1604
近鉄旅客案内テレフォンセンター東京
(8:00〜21:00)
☎03-3212-2051
南海テレフォンセンター
(8:30〜18:30)
☎06-6634-1005
南海予約専用フリーダイヤル
(9:00〜17:00)
☎0120-151519
紀州鉄道
☎0738-23-0111

<路線バス>

明光バス
☎0739-42-3378
龍神バス
☎0739-22-2100
十津川村営バス運行管理事務所
☎0746-64-0408
熊野交通バス
☎0735-22-5101
三重交通バス
☎0599-25-7130
奈良交通バス
☎0742-20-3100
南海りんかんバス
☎0736-56-2250
関西空港交通バス
[関西空港リムジンバス]
☎072-461-1374
白浜町コミュニティバス
[白浜第一交通]
(7:00〜21:00)
☎0739-42-2916
串本町コミュニティバス
[串本町役場企画課]
☎0735-62-0556
熊野市自主運行バス
[市長公室企画課]
☎0597-89-4111(内線313)

<高速バス>

西武バス座席センター
(9:00〜19:00)
☎03-5910-2525
三重交通三交予約センター
(9:30〜18:00)
☎059-229-5555
明光バス電話予約センター
(9:00〜18:00)
☎0739-42-2112

バスタ新宿

西日本JRバスお客様センター
☎06-6371-0121
西日本JRバス予約センター
(5:00〜23:55)
☎06-6371-0111
京成高速バス予約センター
(10:00〜18:00)
☎047-432-1891

<タクシー>

明光タクシー田辺営業所
☎0739-22-2300
熊野タクシー請川営業所
☎0735-42-0226
熊野タクシー本宮営業所
☎0735-42-0051
三光タクシー十津川営業所
☎0746-64-0231
古座川タクシー
☎0735-72-0369

<船>

瀞峡めぐりウォータージェット船
☎0735-44-0331
熊野川川舟センター
☎0735-44-0987
北山川筏下り
☎0735-49-2324

熊野古道に纏わる用語解説

蟻の熊野詣で
ありのくまのもうで

江戸時代に、熊野詣でが庶民に流行し、まるで蟻が巣と餌の間を行き来する行列のように人の列が続いた様を表現していわれました。最初の文献は慶長8（1603）年のイエズス会による『日葡辞書』で、江戸時代になった最初の年でありますから、安土桃山時代からすでに大行列があったことになります。

石畳
いしだたみ

紀伊半島は全国有数の多雨地域であるため、道路の土砂流出を防ぐために、石畳の道が多くなったようです。施工時期により形状の違いが見られます。石は地元で取れる黒雲母花崗岩が多く、もともとそこにあったものを利用したものと見られます。江戸時代中期に街道整備が行われた際に、すでにあった場所もあるとの文献もあり、いつ整備がはじまったかは定かではありません。馬越峠付近の小川には一枚の石の石橋もあります。なお、尾鷲市の西尾パン店では「熊野古道の石畳パン」（150円）が売られています。また紀北町の始神茶屋楢では「熊野古道石畳弁当」（735円）を販売しています。

▲熊野古道のなかでも、美しいとされる伊勢路の石畳

御師
おし

下級の神官や社僧のうち、参詣の世話をする役職の者のことです。熊野三山や伊勢神宮に在籍し、伊勢では暦（神宮暦）の配布や旅館業も行っていました。

九十九王子
くじゅうくおうじ

九十九とは実数ではなく、数多いという意味で、九十九島と九十九折などと同じです。熊野古道では101王子が確認されています。王子とは、修験道からきたものらしく、道中の安全を見守る道祖神のようなものと考えられます。熊野権現の子ということで王子と命名されたとみられています。そのうち五所王子と呼ばれる神々を勧請したものを、五体王子といい、変動はありますが、現在では、藤白、切目、稲葉根、滝尻、発心門とされ、舞や神楽などが行われます。10世紀後半からはじまり、13世紀には最盛期となったと思われます。明治の神社合祀令により、近隣の神社に合祀されたものが多いようです。なお、大阪周辺では「きゅうじゅうきゅうおうじ」と呼ばれます。1番目の熊野九十九王子は大阪市中央区の窪津王子で現在の「坐摩神社行宮」、最後は大門坂の夫婦杉付近の多富気王子であるとされます。

▲起点の王子のある大阪市の坐摩神社

熊野講
くまのこう

熊野三山への参詣のために、今でいう積立て貯金をして旅費をため、集団で参詣するための組織です。全員で参加するものと、代表者を送り出す「代参」もありました。地域信仰集団として普段から相互扶助なども行なっていました。同様に伊勢講、出雲講、富士講、身延講、天神講、大峰講などがありました。室町時代ごろから成立し、江戸時代に隆盛となり現在も継続しているものもあります。

熊野牛王符
くまのごおうふ

熊野三山で配布される特殊な神札、つまり「おふだ」です。通常は神社名や神名を記して朱印を押したものですが、熊野牛王符は烏文字という八咫烏をデザインしたもので字を作るためのもので、何という字か判りづらいものです。熊野本宮大社と熊野速玉大社では「熊野山宝印」、熊野那智大社では「那智瀧宝印」といいます。持ち帰って、かまどや玄関に貼ったり、誓いをたてたときに記入するのに使うとよいとされます。たとえば禁煙すると誓ったなら、これに「禁煙」と氏名、年月日などを記入して貼っておくのです。赤穂浪士も討ち入りに際して熊野牛王符に誓約したということです。

▲熊野那智大社の牛王符ですが、烏の文字わかりますか？

熊野三山
くまのさんざん

熊野本宮大社、熊野速玉大社、熊野那智大社の3社の総称です。

熊野三山検校
くまのさんざんけんこう

上皇や法皇が熊野三山に詣でる際の準備をする役職です。白河上皇が初代に天台宗園城寺（三井寺）の僧「増誉（ぞうよ）」を任命しています。

熊野比丘尼
くまのびくに

熊野三山に属する僧形の女性で、安土桃山時代から江戸時代にかけて活動しました。三山の資金難から、熊野を宣伝するためのキャンペーンガールとしての役割を果たしていました。正月に熊野に参籠したあと伊勢に詣で、全国に散って熊野牛王符や梛の葉を売り歩き、熊野の絵をつかった熊野権現の慈悲を説いたため「絵解き比丘尼」とも呼ばれていました。竹を削って作ったササラで音を出しながら歌って広めたものは「歌比丘尼」と呼ばれていました。

▲「絵解き比丘尼」の再現、色鮮やかな絵で民衆を引きつけていました。

修験道
しゅげんどう

古代の呪術信仰をルーツとし、仏教の影響を受けて山岳地帯で形成された宗教。奈良時代に役小角（えんのおづぬ）を先駆として、密教の隆盛にともない、権門に接近して発展しました。大峰山、熊野三山エリアを中心としましたが、東北の羽黒山や月山、北陸の白山や彦山にも道場が開かれました。明治の修験道廃止令により公式には廃絶させられ、山伏は僧侶となるか還俗が命じられましたが、山深いところが本拠とあって、脈々と続けられました。

世界遺産
せかいいさん

ユネスコ（国連教育科学文化機構）が、世界遺産条約によって選定する、世界文化遺産、世界自然遺産、世界複合遺産の総称です。世界的に貴重で人類が後世に伝える必要があると認められるものを登録するというものですが、富士山が世界文化遺産に登録され再度注目されています。一般に世界遺産の熊野古道といわれていますが、正しくは「紀伊山地の霊場と参詣道」です。霊場とは、吉野・大峯、熊野三山、高野山で、寺社の他、那智の滝、那智山原始林も含まれています。参詣道は、中辺路の一部、伊勢路の一部、大辺路の一部、小辺路の一部、大峰奥駈道のほとんど、高野山町石道で、紀伊路は含まれていません。

先達
せんだつ

修験道で山の修行の指導を行なう者のことです。熊野講では熊野三山まで引率し、巡拝の案内や道中の禁忌などの指導などをする者のことです。

水垢離
みずごり

垢離とは、神仏に祈願するために心身を水で清めることですが、熊野古道では、紀の川の吐崎、富田川（旧称石田川）の稲葉根王子から滝尻王子の間、日置川の近露、音無川の本宮付近で行われてきました。海で行う場合は「潮垢離」といい千里の浜などでした。

▲水垢離の場であった清冽な水が流れる音無川

三ツ星
みつぼし

ミシュランガイドで「わざわざ旅行する価値がある」とされるランク。2011年5月に、那智の滝・熊野本宮大社・熊野古道が獲得しています。他には、姫路城、松島、日光、奈良、富士山、高尾山などです。

八咫烏
やたがらす

サッカー日本代表のシンボルマークでおなじみの三本足の烏で、神の使いとされます。熊野では神武天皇の道案内をしたとされています。熊野那智大社に像があります。

▲熊野那智大社の八咫烏像ですが、高い台の上なので3本足がわかりません。

湯垢離
ゆごり

水垢離を温泉で行う場合は、湯垢離と云います。熊野古道では湯の峰温泉が知られますが、鎌倉末期以降と考えられています。足利義満の側室が湯垢離をした記録もあります。

▲湯垢離の場として古くから知られた湯の峰温泉

熊野古道を知る―④

熊野古道ゆかりの人物辞典

安倍晴明
【あべのせいめい／不詳～1005】
大和朝廷からの平安時代にかけての有力豪族で、陰陽寮を統括した安倍氏の祖です。天元2（979）年、那智山の滝行を千日行い、天狗を封じたとされています。中辺路には「安倍晴明の蛭伏せ石」「安倍晴明の腰掛石（とめ石）」があり、那智には滝行の際の庵跡があるとされています。

上村権兵衛
【うえむらごんべい／不詳～1543？】
種まき権兵衛の俗謡で知られますが、戦国時代の実在の人物です。便ノ山村、現在の紀北町海山で武士の子として生まれましたが帰農し、鉄砲の名手として紀州一円に知られました。元文元(1736)年、馬越峠で大蛇を退治した記録が残っています。

宇多法皇
【うだほうおう／873～937】
光明天皇の皇子で、887年天皇に即位後、菅原道真を登用し遣唐使を廃止しました。醍醐天皇に譲位し法皇となって仁和寺に住みました。907年、最初に熊野参詣をした皇族です。

小栗判官
【おぐりほうがん／生没年不詳】
本名は藤原正清とされますが、常陸の小栗城主、小栗助重をモデルにしたほとんど伝説上の人物です。浄瑠璃や歌舞伎でどんどん脚色されてしまったようです。湯の峰温泉で病気を治した話は有名です。

▲病気の判官が見るも無残な姿から全快したという、つぼ湯。

花山法皇
【かざんほうおう／968～1008】
藤原兼家の謀略により出家させられたことで知られますが、出家後、熊野参詣を行い、二の滝付近で千日間の滝修行を行いました。那智山原始林の中に行宮跡が残り「花山法皇御籠所跡」の碑が立っています。御愛器の水晶数珠などは、熊野那智大社の宝物として滝宝殿に保管されています。

亀山天皇
【かめやまてんのう／1249～1305】
後嵯峨天皇の皇子で、大覚寺党（後に南朝となる）の祖です。熊野参詣は1回のみですが、熊野那智大社の一ノ滝への途中に、卒塔婆建立跡の旧跡が残っています。

可涼園桃乙
【かりょうえんとういつ／生没年不詳】
江戸末期の近江の俳人で、尾鷲に1年ほど滞在し、地元の人々に俳句を教えました。弟子たちは可涼園社中と呼ばれ、馬越峠に嘉永7（1854）年、句碑を立てたものが残っています。

清姫
【きよひめ／生没年不詳】
恋慕の情から大蛇に変身したという道成寺の縁起の清姫は、伝説の人物とされますが、鉱山経営をしていたなどの文献もあり、実在の人物の話が、誇張拡大されたとみられます。中辺路には墓、潮見峠には清姫がねじった「捻木の杉」などゆかりの史跡が残されています。

空海
【くうかい／774～835】
真言宗の開祖、弘法大師。唐で密教を学んで帰国、高野山に金剛峯寺を開き、京都の東寺とともに真言宗の布教拠点としました。

後嵯峨天皇
【ごさがてんのう／1220～72】
土御門天皇の第2皇子で、院政をしきましたが、鎌倉幕府による朝廷掌握が進み、実権はあまりなかったようです。熊野参詣は2回です。

後白河天皇
【ごしらかわてんのう／1127～92】
鳥羽天皇の皇子で、崇徳天皇の弟です。『梁塵秘抄（りょうじんひしょう）』の撰者としても知られます。平家の全盛期から鎌倉幕府成立という政情の大変革のなかで、天皇家の維持に尽力するとともに仏教への崇敬が篤く、歴代最多の33回もの熊野参詣をおこなっています。

後鳥羽天皇
【ごとばてんのう／1180～1239】
安徳天皇が壇ノ浦で没したため、神器なしで即位しました。結果、正当性を主張するために強硬となって、西面武士の設置や、承久の変を起こしたことで知られます。『新古今和歌集』の勅撰『世俗浅深秘抄』の著者でもあり、1198年の熊野参詣で和歌に目覚めたとされています。このためか、後白河天皇に続く28回も参詣しています。

生仏上人

【しょうぶつしょうにん／生没年不詳】
推古天皇の治世（7世紀）に大和から移り、青岸渡寺の伽藍を作り、玉椿の大木で高さ4mの如意輪観世音菩薩像を刻んで、その胎内にもとの本尊である観音像を納めたとされます。観音像は、秘仏の本尊となっています。1400年もの古仏であるはずですが、後年に作り直されたとの説もあります。

白河上皇

【しらかわじょうこう／1053～1129】
摂関勢力の衰退に乗じて権力を取り戻し、譲位後には院政を創始しました。信仰に篤く、法勝寺などの造寺に力を入れ、熊野参詣を9回も行いました。

鈴木牧之

【すずきぼくし／1770～1842】
江戸末期の商人で随筆家。地方の状況を記述し、民俗学上の貴重な資料となっています。『西遊記神都詣西国巡礼』で、熊野古道を歩いた記録を残して、美しい景色に感動した様の描写が見えます。

崇徳天皇

【すとくてんのう／1119～64】
鳥羽天皇の皇子。保元の乱を起こし、敗れて讃岐に流されました。和歌に熱心でしたが、仏教への関心は低く、熊野参詣は、父鳥羽天皇と1回のみです。配流先の讃岐でようやく仏教に目ざめたようで、怨霊伝説は後世の創作の影響のようです。

平重盛

【たいらのしげもり／1138～79】
清盛の長子。保元・平治の乱で活躍しましたが、若くして父に先立ち病没しました。平治元（1159）年、熊野参詣し、熊野那智大社境内に手植えと伝えられる大楠、熊野速玉大社にはナギが現存しています。

土井清良

【どいせいりょう／1546～1629】
戦国末から江戸初期の伊予国宇和郡の武将です。没後一族の土井水也により著された『清良記』は農業の記述が多いですが、熊野参詣の記述も見られます。

鳥羽上皇

【とばじょうこう／1103～1156】
堀河天皇の皇子、4歳で天皇となり20歳で譲位して26歳から院政を行い、保元の乱(1153年）の原因を作ったとされます。幼少期に口ずさんだ歌が日本最古の童謡とされています。崇仏の念が厚く、多くの寺院を建立し、熊野参詣は21回（23回の記録もあり）にもおよんでいて、最後の御幸では熊野本宮大社に4728巻もの一切経を奉納しています。

長沢芦雪

【ながさわろせつ／1754～1799】
「奇想の絵師」と呼ばれた江戸時代の画家で、円山応挙の弟子ですが応挙の画風とは異なっています。串本の無量寺、古座の成就寺、富田の草堂寺に多くの障壁画が残されています。

▲串本無量寺の応挙芦雪館収蔵庫

藤原秀衡

【ふじわらのひでひら／不詳～1187】
平泉を本拠とした豪族、奥州藤原氏の最盛期の中心人物で、源義経を保護したことで知られます。当時、平泉は平安京に次ぐ人口でした。妻の懐妊の礼に熊野参詣の折、滝尻で妻が産気づき出産しましたが、熊野権現のお告げで赤子は岩屋に残されました。しかし参詣が済んで戻ると無事であったことから、その地に七堂伽藍を建立したとされています。

水森かおり

【みずもりかおり／1973～】
ご当地ソングの女王と呼ばれる演歌歌手です。7作目のご当地ソング「熊野古道」以降オリコントップ10入りを続けて、女性演歌歌手歴代1位となりました。最新作は、2013年4月発売の「伊勢めぐり」です。

向井去来

【むかいきょらい／1651～1704】
松尾芭蕉門下の俳人。『猿蓑』の撰者の一人。洛柿舎に住んだことで知られます。小辺路を旅したとき「つづくりもはてなし坂や五月雨」の句を残し、十津川村の果無峠入口に句碑が立っています。

裸形上人

【らぎょうしょうにん／生没年不詳】
仁徳天皇の頃（4世紀）に天竺（インド）から熊野に漂着したとされる僧です。那智山で千日の滝行を行っていたところ、那智の滝壺から八寸の黄金の観音像を見つけ、草堂を開いて祀ったものが青岸渡寺の創始とされます。

熊野古道関連年表

西暦	元号	年	天皇	街道	内容
128	—	58	景行天皇		神倉山に熊野三所権現降臨、熊野速玉大社の祖
317	—	5	仁徳天皇		熊野那智大社社殿現在地に移す
701	大宝	1	文武天皇	紀伊路	勅願により道成寺を創建
712	和銅	5	元明天皇		古事記に神武天皇が熊野に至ったとの記述
720	養老	4	元正天皇	伊勢路	日本書紀にイザナミノミコトが熊野有馬村に葬られたと記述
766	天平神護	2	称徳天皇		熊野速玉神と熊野牟須美神に神封が授けられる
806	大同	1	平城天皇		空海、帰朝する（最澄は前年）
812	弘仁	3	嵯峨天皇		快慶が熊野別当となって、熊野三山を統括
816		7		高野山町石道	空海、高野山を真言密教の根本道場として開山の勅許を得る
819		10		高野山町石道	高野山の伽藍建設に着手
835	承和	2	仁明天皇	高野山町石道	伽藍を定額寺とする、同年空海、高野山に入定
907	延喜	7	醍醐天皇		宇多法皇、最初の熊野参詣、以後皇族の熊野参詣がたびたびとなる
918		18			浄蔵が那智山で滝行を行う
992	正暦	3	一条天皇		花山法皇、熊野参詣、二の滝で千日修行
1000	長保	2		紀伊路	性空上人、勅願により長保寺を創建
1090	寛治	4	堀河天皇		白河上皇、熊野参詣。以後 1128 年までに 9 回参詣（熊野参詣）
1208	承元	2	土御門天皇		北条政子、熊野参詣を行なう
1236	嘉禎	2	四条天皇		鎌倉幕府、荒廃した王子社の修理を命じる
1266	文永	3	亀山天皇	高野山町石道	石道への町石の設置開始～ 1285（弘安8）年
1311	延慶	4	花園天皇	紀伊路	長保寺現在地に移す
1403	応永	10	後小松	中辺路	高原熊野神社を本宮より勧進
1546	天文	15	後奈良天皇	紀伊路	周参見領主により周参見王子神社建立
1563	永禄	6	正親町天皇	紀伊路	蓮如の冷水の道場を現在地に移す、後の鷺ノ森別院
1573	天正	1		小辺路	土井清良の熊野参詣紀行を『清良記』に記される
1580		8		紀伊路	顕如が鷺ノ森別院に移り3年間本願寺本山となる
1581		9			熊野那智大社、堀内氏善との戦いで社殿の一部を焼失
1585		13		紀伊路	豊臣秀長が藤堂高虎らの普請で、和歌山城築城
					豊臣軍紀州侵攻で富田川、紀伊田辺周辺が戦場となる
1590		18	後陽成天皇	中辺路	那智山青岸渡寺本堂、豊臣秀吉の命により再建
1593	文禄	2		高野山町石道	豊臣秀吉が亡母追善のため高野山に青厳寺を建立
1618	元和	4	後水尾天皇	中辺路	浅野忠吉新宮城築城開始
				高野山町石道	福島正則金剛峯寺六時鐘建立、後に火災で焼失
1619		5			徳川頼宣が紀州藩主となり、熊野参詣道の復興着手
1622		8		紀伊路	和歌山城に徳川頼宣が入城し、紀州家の居城となる
1623		9			徳川頼宣が熊野参詣（1629 年との資料もあり）
1625	寛永	2		大辺路	和深王子神社創建
1637		14	明正天皇		熊野権現縁起絵巻なる

西暦	元号	年	天皇	街道	内容
1643	寛永	20	明正天皇	高野山町石道	徳川家光、金剛峯寺徳川家霊台を建立
1666	寛文	6	霊元天皇	紀伊路	紀州藩主長保寺を菩提寺とする
1705	宝永	2	東山天皇	高野山町石道	高野山大門建立
1721	享保	6	中御門天皇		徳川吉宗、熊野三山の社殿修理に 2 千両寄進
1786	天明	6	光格天皇	大辺路	愚海和尚、無量寺を再建
1834	天保	5	仁孝天皇	高野山町石道	金剛峯寺金輪塔再建
1863	文久	3	孝明天皇	高野山町石道	青巌寺再建
1867	慶応	3			熊野那智大社の御県彦社建立
1869	明治	2	明治天皇	高野山町石道	興山寺と青巌寺が統合して金剛峯寺となる
1872		5		高野山町石道	女人堂から先の女人禁制を解除
1873		6			熊野那智大社を県社に指定、当時の呼称は「那智神社」
1877		10		紀伊路	三鍋王子社を須賀神社に合祀
1883		16			熊野速玉大社火災により焼失
1889		22			熊野本宮大社洪水により社殿の一部が流失
1891		24			熊野本宮大社、現在地に移転再建
1906		39			神社合祀令発布、熊野九十九王子の殆どが近隣の神社に合祀
1907		40		紀伊路	糸我王子を糸我稲荷神社に合祀
1909		42		紀伊路	須賀神社を鹿島神社に合祀
1921	大正	10	大正天皇	高野山町石道	高野山霊宝館開館
					那智神社官幣中社に昇格し「熊野那智神社」と改称
1930	昭和	5	昭和天皇	高野山町石道	高野山ケーブル開業
1933		8		大峯奥駈道	橋本広吉、面不動鍾乳洞を発見
1937		12		高野山町石道	金剛峯寺根本大塔再建
1953		28			熊野速玉大社社殿再建
1959		34			国鉄紀勢本線全通
1960		35			那智の火祭りを無形民俗文化財に指定
1964		39			那智勝浦町章を那智滝のデザインで制定
1968		43			熊野那智神社を「熊野那智大社」と改称
1972		47			那智大滝を国の名勝に指定
1972		47			青岸渡寺三重塔再建
1978		53			文化庁、熊野参詣道を「歴史の道」に指定
1991	平成	3	今上天皇		那智四十八滝探索プロジェクトにより、四十八滝を再発見
1992		4			那智四十八滝回峰行を青岸渡寺が再興
1992		4		中辺路	皇太子殿下、皇族として 711 年振りに熊野三山参詣
1995		7			熊野那智大社の社殿8棟を国が重要文化財に指定
2000		12			熊野参詣道を国の史跡に指定
2001		13			ユネスコ世界遺産暫定リストに記載
2003		15			文化庁、ユネスコに世界遺産として推薦
2004		16		(紀伊路を除く)	世界遺産委員会、世界遺産登録決定
2007		19		伊勢路	横垣峠地すべり土砂崩壊で通行止め
2012		24		中辺路	自転車で行く熊野詣で「熊野古道ロングライド 100」開催

熊野古道の行事・イベント

月	日	行事	場所	道
1月	1	元旦祭・藤白獅子舞	藤白神社	紀伊路
	1	新春初護摩供	吉野山金峯山寺	大峯奥駈道
	1	開寅祭	熊野本宮大社	
	1	迎水神事	飛瀧神社	
	1～3	奥ノ院・金堂修正会	高野山金剛峰寺	小辺路
	1～7	修正会特別祈祷	那智山青岸渡寺	
	2	牛王神璽祭	熊野那智大社	
	3～5	野中の獅子舞	継桜王子	中辺路
	5	大塔修正会	高野山金剛峯寺	大峯奥駈道
	5	初弥勒会	龍泉寺	大峯奥駈道
	7	八咫烏神事・宝印神事	熊野本宮大社	
	8	湯峯八日薬師祭	本宮町湯峯地区	中辺路
	中旬	仙人風呂感謝祭	川湯温泉仙人風呂	中辺路
	15	はらそ祭	尾鷲梶賀神社	伊勢路
	15	お粥祭り	熊野本宮大社	
2月	1～8	ヤーヤ祭	尾鷲神社	伊勢路
	2	例祭・お綱掛け神事	花の窟神社	伊勢路
	3	節分祈祷会	高野山金剛峯寺	小辺路
	3	節分豆撒祈祷	紀三井寺	紀伊路
	3	節分豆撒祈祷	那智山青岸渡寺	
	3	節分会	龍泉寺	大峯奥駈道
	3～5	節分会大祭	吉野山金峯山寺	大峯奥駈道
	6	お灯祭	熊野速玉大社	
	11	水門（みなと）祭	水門神社	大辺路
	14～15	常楽会	高野山金剛峯寺	小辺路
	17	新年祭	日前宮	紀伊路
	17～23	祈念祭	伊勢神宮	伊勢路
	下旬	大辺路富田坂ウォーク	富田坂	大辺路
3月	10	御乙祭	御坊須佐神社	紀伊路
	20～4月20日	桜祭り	紀三井寺	紀伊路
	春分の日	種まき権兵衛まつり	種まき権兵衛の里	伊勢路
	下旬	桜まつり	紀三井寺	紀伊路
	彼岸中日と前後日	春季彼岸会	高野山金剛峯寺	小辺路
4月	1	春まつり	日前宮	紀伊路
	上旬	新茶祭	熊野本宮大社	
	8	佛生会	高野山金剛峯寺	小辺路
	10	庭儀大曼荼羅供	高野山金剛峯寺	小辺路
	10～12	花供会式・花供懺法会	吉野山金峯山寺	大峯奥駈道
	13～15	例大祭（13日湯登神事 14日産田社例祭）	熊野本宮大社	
	21	萬燈会	高野山金剛峯寺	小辺路
	27	観音会式	道成寺	紀伊路
	29	木苗祭	熊野本宮大社	
5月	3	大峯山戸開式	大峯山寺	大峯奥駈道
	3	船玉神社例祭	発心門	中辺路
	3～5	胎蔵界結縁潅頂	高野山金剛峯寺	小辺路
	7	差別戒名追悼法会節分祈祷会	高野山金剛峯寺	小辺路

5月	第２日曜日	和歌祭	紀州東照宮	紀伊路
	14	風日祈祭・神御衣祭	伊勢神宮	伊勢路
	14	二十五菩薩練供養会式（中将姫会式）	得生寺	紀伊路
	21	墓所総供養大施餓鬼会	高野山金剛峯寺	小辺路
6月	1	有間皇子献湯祭・陣羽織行列	有間皇子記念碑	大辺路
	6	梅の日梅献上神事	熊野本宮大社他	
	7	高祖会大法要	吉野山金峯山寺	大峯奥駈道
	15	宗祖降誕会（青葉祭）	高野山金剛峯寺	小辺路
	15～25	月次祭	伊勢神宮	伊勢路
7月	7～9	蓮華会奉献大峯入峰	吉野山金峯山寺	大峯奥駈道
	9	御滝注連縄張替式	熊野那智大社	
	14	那智の火祭（扇祭）	熊野那智大社	
	14	扇立祭	熊野速玉大社	
	15	御国忌	高野山金剛峯寺	小辺路
	中旬の土曜日	伊勢神宮奉納全国花火大会	渡会橋周辺	伊勢路
	24・25	田辺祭	闘鶏神社	紀伊路
	最終日曜	熊野古道清姫まつり	中辺路真砂河原	中辺路
8月	7～13	不断経	高野山金剛峯寺	小辺路
	13	萬燈供養会（ろうそく祭）	高野山金剛峯寺	小辺路
	14	黒江の下駄市	海南市黒江	紀伊路
	15	精霊萬燈祭	熊野本宮大社	
	16	傘鉾お渡り	古沢厳島神社	高野山町石道
	最終土曜日	八咫の火祭り	大斎原	
9月	1	関東大震災物故者法会	高野山金剛峯寺	小辺路
	中旬	燈花会	龍泉寺	大峯奥駈道
	中秋の名月	神宮観月会	伊勢神宮外宮	伊勢路
	23	大峯山戸閉式	大峯山寺	大峯奥駈道
	26	例祭	日前宮	紀伊路
10月	1～3	金剛界結縁潅頂・萬燈会	高野山金剛峯寺	小辺路
	1・2	弁慶まつり	闘鶏神社	紀伊路
	2	お綱掛け神事	花の窟神社	伊勢路
	第一土曜日	講社大祭・献詠披講式	熊野本宮大社	
	第２日曜日	秋季大祭・藤白の獅子舞	藤白神社	紀伊路
	第２日曜日	八大竜王大祭	龍泉寺	大峯奥駈道
	15	神馬渡御式	熊野速玉大社	
	16日前後	例大祭渡御行列	熊野三所神社	大辺路
	24	例大祭	玉置神社	大峯奥駈道
	15～25	神嘗祭	伊勢神宮	伊勢路
	16	御船祭	熊野速玉大社	
	16	明神社春季大祭	高野山金剛峯寺	小辺路
	26	諡号奉賛会	高野山金剛峯寺	小辺路
11月	1	山神社御書まつり大名行列	白浜湯崎地区	大辺路
	3	熊野古道絵巻行列	高原地区	中辺路
	23	新嘗祭	日前宮	紀伊路
	23（旧暦）	三体月観月会	三体月伝承地	中辺路
	23	どぶろく祭	熊野市大森神社	伊勢路
	23～29	新嘗祭	伊勢神宮	伊勢路
12月	1	仙人風呂開き（２月末まで）	川湯温泉	中辺路
	10	御竈木神事	熊野本宮大社	
	15～25	月次祭	伊勢神宮	伊勢路
	27	御滝注連縄張替式	熊野那智大社	
	28	御影堂すす払い	高野山龍光院	小辺路

INDEX

熊野古道索引

[Editor in Chief]
高野晃彰（ベストフィールズ）

[Writer]
高野晃彰（ベストフィールズ）

[Art Director Design]
今岡祐樹（ガレッシオデザイン有限会社）

[Illustrator]
高野えり子（デザインスタジオタカノ）

[Map Design]
イトウミサ
高野えり子

[Photographer]
百配伝蔵

[Special Thanks]
〈寺社〉
熊野本宮大社
熊野那智大社
熊野速玉大社
飛瀧神社
青岸渡寺
伊勢神宮
紀三井寺
金剛峯寺
金峯山寺

＜和歌山県＞
熊野本宮観光協会
和歌山県観光連盟わかやま紀州館
有田市産業振興課
海南市産業振興課
串本町観光協会
御坊市商工振興課
白浜観光協会
白浜町教育委員会
日置川観光協会
すさみ町産業建設課
中辺路町観光協会
那智勝浦町観光協会
湯浅町産業観光課
新宮市観光協会

＜三重県＞
三重県東京事務所営業本部
担当課首都圏営業推進班
紀北町観光協会

＜奈良県＞
奈良まほろば館
奈良県文化振興課
洞川温泉観光協会
十津川観光協会

＜交通関係＞
東海旅客鉄道株式会社
西日本旅客鉄道株式会社
近畿日本鉄道株式会社
南海電鉄株式会社
三重交通株式会社
奈良交通株式会社
熊野交通株式会社
龍神自動車株式会社
明光バス株式会社
西日本ジェイアールバス株式会社

とっておきの聖地巡礼 世界遺産「熊野古道」 新装改訂版
歩いて楽しむ南紀の旅

2022年9月15日　第1版・第1刷発行
2024年8月25日　第1版・第2刷発行

著　者　伊勢・熊野巡礼部（いせ・くまのじゅんれいぶ）
発行者　株式会社メイツユニバーサルコンテンツ
　　　　代表者　大羽 孝志
　　　　〒102-0093 東京都千代田区 平河町一丁目1-8
印　刷　株式会社厚徳社

ISBN978-4-7804-2673-1 C2026 Printed in Japan.

ご意見・ご感想はホームページから承っております
ウェブサイト　https ://www.mates-publishing.co.jp/
企画担当：折居かおる／清岡香奈

※本書は2018年発行の『とっておきの聖地巡礼 世界遺産「熊野古道」歩いて楽しむ南紀の旅 改訂版』を元に情報更新と一部掲載施設の入れ替えを行い、装丁を変更して新たに発行したものです。